D0522306

Tous à mes pieds !

Isabelle ALEXIS

Tous à mes pieds !

ROMAN

Prologue

28 SEPTEMBRE 1973 : Naissance de Patricia à Boulogne-Billancourt (Hauts-de-Seine). 3,200 kilos. Beau bébé plus ou moins désiré de deux parents plus ou moins heureux.

C'est à la maternité que les fées se penchent sur le berceau.

BONNE FÉE : Tu seras ravissante Patricia, agréable, sociable, tu ne seras que charme et gentillesse...

MÉCHANTE FÉE : Tu te feras bien avoir par les gens, Patricia... Tu tomberas plus d'une fois de ton piédestal, la déception tu vas connaître...

BONNE FÉE : Elle s'en remettra, elle aura toujours la force de passer à autre chose...

MÉCHANTE FÉE : Bien sûr, à quoi sert l'alcool sinon ?

BONNE FÉE : Tu seras très appréciée pour ta tolérance, ton altruisme, ta belle ouverture d'esprit...

MÉCHANTE FÉE : Une vraie girouette frivole et libertine !

BONNE FÉE : Tu aimeras ton indépendance Patricia, tu défendras farouchement ta liberté...

MÉCHANTE FÉE : Oui, tu risques de rester célibataire un bon bout de temps !

BONNE FÉE : Tu refuseras ordres et contraintes...

MÉCHANTE FÉE : Pauvres parents !

BONNE FÉE : Tu seras rapide, spontanée et franche…

MÉCHANTE FÉE : Oui, trop. La reine de la gaffe, on t'appellera…

BONNE FÉE : Tu passeras avec une facilité déconcertante d'une activité à une autre…

MÉCHANTE FÉE : Et d'une connerie à l'autre… Une vraie tornade, ma chérie, qui emportera tout sur son passage…

De nos jours…

Épisode n° 1 :
Son passage chez Éric H.
Inoubliable

— Patricia, téléphone pour toi ! Éric Hermann ! lança Chloé.

Comme chaque fois qu'elle entendait ce nom, son cerveau lui envoya une décharge émotionnelle. Elle s'empara du combiné :

— Oui, Éric vous avez eu mon message ? Bon, il faut bien se mettre d'accord sur les émissions que vous voulez faire ? Uniquement littéraire, d'accord... Pas de talk-show ? Bon. Non, je suis d'accord mais, en général, les écrivains les demandent, les talk-shows... Je comprends que vous n'en ayez pas besoin. Plutôt de la presse écrite, d'accord mais ça on l'a ! On l'a chaque année. On a toujours quelques journalistes aimables en interviews, sachant pertinemment que les critiques littéraires n'ont pas besoin de vous rencontrer pour vous fracasser... Enfin je veux dire, malheureusement ils ne sont pas tous fans ! Oui, je sais que vous savez... Et qu'est-ce que je voulais dire ? Oui les tête-à-tête en radio, une heure d'interview sur RTL, RMC, Europe 1, on accepte ça ? Hein ? Allez on accepte... Faut tout de même que les gens soient au courant de la sortie du livre ! Cela dit, Europe 1 avec toutes les pubs qu'il va y avoir... OK peu d'émissions mais bien choisies… On est d'accord. Je vous embrasse Éric et je vous rappelle…

En général, il lui fallait de longues minutes pour se remettre de chaque coup de fil. Elle prenait un Tic-tac alors qu'elle avait déjà un chewing-gum dans la bouche, allumait une cigarette alors qu'une autre, sous ses yeux, se fumait toute seule dans le cendrier. Elle sortait une brosse à cheveux de son sac et en profitait pour tout faire tomber. Il fallait bien meubler en attendant que le rouge aux joues s'estompe, surtout devant les regards pernicieux de ses collègues. Son trouble n'échappait à personne.

— C'est bizarre qu'il n'aime pas la télé, mignon comme il est… Tu me diras c'est vrai qu'il n'en a pas vraiment besoin. T'as vu ses ventes ? Ça donne le vertige…

Chaque maison d'édition possède ses stars. Ses gros vendeurs. Force est de constater que c'est même le but de certaines maisons d'édition qui n'ont aucune raison (ils ont bien réfléchi) d'échapper au dieu Profit. Aux Éditions du Volcan où travaillait Patricia depuis cinq ans, il y avait trois écrivains, deux hommes et une femme qui, à eux trois, pouvaient nourrir toute la société plus une grande partie du Bangladesh, s'ils l'avaient voulu. Trois auteurs vedettes dont un, en plus, était sexy comme le diable. Fait suffisamment rare pour être signalé. Éric Hermann vendait tellement qu'il aurait pu aisément se passer d'une attachée de presse et qui plus est d'une attachée de presse amoureuse, mais ça… quand on est beau, viril et millionnaire en euros, il paraît qu'on peut s'attendre à de belles surprises avec les femmes. Or, aussi incroyable que cela paraisse, c'était «un cœur à prendre», selon le dernier reportage d'ouverture du *Paris Match* que Patricia avait négocié avec Jérôme Béglé.

À quel moment les choses commencèrent-elles à déraper ?

Pour Patricia, ses sentiments se précisèrent au fil des mails. C'est difficile à dire mais oui, les gens tombent amoureux devant leurs ordinateurs. Les mails, au début professionnels, ensuite plus personnels, pertinents, voire drôles, et puis carrément intimes. Attention pas d'allusions sexuelles, certainement pas. Pas de vulgarité, pas de faute de goût avec le petit-fils spirituel de Barbara Cartland. Non, simplement Patricia parlait d'elle, de sa famille, de ses aspirations professionnelles, quels livres elle aimait, pour quelles raisons, et pourquoi elle aimait tant les siens surtout, là elle touchait un point sensible. Ça l'intéressait, Éric, de savoir pourquoi ses livres plaisaient tant. Lui-même avait du mal à réaliser son succès. Il s'était mis à lui répondre. Régulièrement. Très régulièrement. Il lui parlait de sa belle maison, une magnifique propriété qu'il venait d'acquérir, de la forêt aux alentours, des écureuils qui venaient grignoter les noisettes qu'il avait laissées dans une petite écuelle aux pieds des arbres… Patricia entrait en pâmoison en l'imaginant avec ses petits écureuils et laissait tomber sa tête sur son clavier. Il était aussi intarissable sur la description du temps et, pourtant, Dieu sait si Patricia se fichait pas mal de la météo en temps normal, mais là, elle relisait cinquante fois de suite sa comparaison des nuages dans le ciel. C'est dur de décrire le temps, la plupart des auteurs font l'impasse sur ce sujet cher à Catherine Laborde, mais lui non. Il y arrivait fort bien…

Un mois plus tard, et après l'avoir accompagné plusieurs fois à la radio, elle en était certaine : Éric H. était en train de succomber à son charme. Il faut dire qu'il en avait à revendre. Et quand il quittait Paris, les mails reprenaient de plus belle. Les petites notes de l'ordinateur annonçant un nouveau message s'apparentaient aux cloches du bonheur. Pour lui aussi très certainement. L'amour ne peut être que réciproque… n'est-ce pas ?

À force de lui décrire sa maison, la forêt, les écureuils, le coucher de soleil et les petits oiseaux, Patricia mourait d'envie de connaître ce coin de paradis, forcément. Elle se concentra pour lui faire part de sa requête. Comment annoncer à un bel homme dans la force de l'âge et de la manière la plus élégante qui soit qu'on a envie de venir passer un week-end chez lui ? Patricia tortilla ses mains au-dessus de son clavier. Du tact, ne pas trop l'aguicher, ça va lui faire peur. De toute façon, il est loin d'être bête, il a compris. Mais comment exprimer un désir, si intense soit-il, sans passer pour une grue qui fait le premier pas ? Il était si raffiné émotionnellement. À bien des reprises, Patricia avait entendu des écrivains dire à des jeunes gens avides de conseils en matière d'écriture : « Faites simple. Soyez le plus limpide possible. Pas de phrases de trois kilomètres. Évitez de vous prendre pour Proust. »

La première politesse de l'écrivain n'est ce pas d'être bref ! disait Anatole France, un type qui ne devait pas être pote avec Tolstoï…

Après une demi-heure de réflexion, elle pianota :

`Aimerais bien connaître ta maison…`

Les points de suspension étaient très importants. C'était simple, ça ! Et puis ça voulait dire ce que ça voulait dire. Voilà, c'était fait, il n'y avait plus qu'à attendre maintenant.

Oui attendre…

Oh, là, là… Mon Dieu faites que…

Les petites notes ! un message !

Trop la trouille… Et si… Quoi ?

Ce n'était pas une réponse d'Éric Hermann, non c'était un autre écrivain dont elle s'occupait qui lui demandait de lui faire parvenir le papier qu'il avait eu la semaine précédente dans *Le Point*. Un agrégé de philo qui avait écrit un essai sur le déclin intellectuel de la France. Qu'est-ce que ce vieux schnock, pas du tout sexy, pas du tout millionnaire, avec des poils qui lui sortaient du nez, venait l'emmerder pile à ce moment-là ? Comment ce vieux philosophe avec son cou de dindon avait-il osé polluer son ordinateur alors qu'elle était en pleine correspondance avec Éric Hermann qui allait probablement l'inviter en week-end chez lui ? Non mais ça ne va pas ?

« Tu as bien un kiosque en bas de chez toi, pépère ? » pensa-t-elle tout haut en cliquant nerveusement sur « Supprimer ». Le culot de ce type était insondable. Maintenant, il fallait se calmer. Attendre. Les deux petites notes ne tardèrent pas à se faire entendre. Ça y est, c'était Éric le Magnifique. Les choses redevenaient normales. Ouf.

```
Voudrais-tu venir ? É. H.
```

Oh, là, là, et comment ! Patricia eut une petite suée dans la nuque. Attention du tact.

« Si je m'écoutais, je partirais maintenant. » Non pas ça. Effacer. Vite.

« Oui, aimerais beaucoup. » Non effacer le « beaucoup ».

```
Oui, aimerais bien.
```

C'était mieux, non ? Pas de précipitation. Dis donc, des mecs comme toi, j'en ai un paquet qui me courent au…

Non ce n'est pas vrai. Il n'y a pas d'homme comme toi, ça n'existe pas. Tu es unique et génial… « Oh moi, vous savez, je l'âââdore, je l'idolââââââtre », déclarait Arielle Dombasle à propos de son amoureux.

Patricia était à peu près dans le même étââât.

Dur.

Le rendez-vous fut pris pour le week-end suivant. Patricia dut encore se calmer après avoir eu Éric au téléphone. Même pour l'informer des horaires de TGV, sa voix rauque était trop sexy. Elle passa une semaine totalement surexcitée et obligea Barbara, sa meilleure amie, à l'accompagner chez Étam, pour lui trouver une belle nuisette en vue de sa nuit de noces :

«Je t'en supplie Barbara, viens la choisir avec moi, mon pyjama en satin n'a plus d'élastique à la taille, je le perds dès que je fais un pas. Sinon je mets mon vieux jogging pour dormir mais il a un trou à l'entrejambe, c'est pas la classe du tout, tu vois ? Il faut que je m'achète une sublime chemise de nuit en soie, le truc le plus irrésistible possible… Viens avec moi, Barbouille, s'il te plaît… »

Barbara avait cédé, mais ce ne fut pas chez Étam qu'elles trouvèrent «appel au péché», mais aux Nuits d'Élodie. Un déshabillé en soie dans les mauves, tellement scintillant, sensuel et moulant, que Patricia, si belle devant la glace, voulut repartir avec dans la rue, mais la vendeuse le lui déconseilla. Cent quatre-vingt-sept euros. Tant pis pour la banque. Ce n'est pas sa conseillère financière qui allait chez Éric Hermann ce week-end. Et ce n'était pas près de lui arriver à Miss-je-sais-tout, Mademoiselle-mille-cinq-cents-euros-de-découvert-c'est-le-maximum-que-j'ai-pu-obtenir. Si elle se permettait une réflexion sur cette dépense, Patricia lui expliquerait. «Oui, oui Éric Hermann, l'écrivain, il m'a invitée.» Ça la ferait rêver un peu. C'est toujours bon d'aider les autres.

Cent quatre-vingt-sept euros de nuisette, plus les billets de train. Patricia fit sa réservation en première classe par téléphone. Cent trente-huit euros. C'était pratique ces réservations par téléphone. Bon, elle n'avait rien oublié ? Si, elle n'avait plus de cette jolie poudre qui lui faisait un teint de jeune fille nourrie aux soupes de légumes et à la Contrex. Un petit tour chez Marionnaud et ce fut réglé. Elle avait un chèque-cadeau de sept euros cinquante et donc elle en profita pour racheter poudre, fond de teint, rimmel, blush, bain moussant, gel antirides contour des yeux, et un parfum «So Pretty» de chez Cartier. Éric n'allait pas pouvoir résister, il était enivrant ce parfum. Elle avait bien fait. Trois cent quatre-vingt-deux euros, malgré le chèque-cadeau, tout de même ! Ça partait vite. Mais elles étaient gentilles, les filles chez Marionnaud, elles lui avaient donné plein de petits échantillons…

C'est fin prête et toute pimpante qu'elle arriva le samedi matin sur le quai de la gare de Lyon avec une heure d'avance et une valise comparable à celles de tous ces gens qui partaient quinze jours au ski.

Elle monta dans le train en fredonnant « I'm a Woman in Love », la chanson de Barbra Streisand. Elle était sur un nuage. La terre semblait tourner dans le bon sens. Les gens qu'elle croisait avaient l'air très sympathiques, juste un peu excités à l'idée de se retrouver en haut des pistes enneigées. Tous avaient hâte que ce train arrive le plus vite possible en gare de Lyon-Perrache.

Installée à côté de la vitre, Patricia se remémora son dernier mail. Il datait de quarante-huit heures. Éric lui avait envoyé une photo de sa nouvelle voiture. Il venait d'acquérir une voiture décapotable de collection, avec laquelle il viendrait la chercher à la gare. Submergée de bonheur, Patricia avait répondu :

« Chéri, j'aimerais bien que tu me consultes avant d'acheter une nouvelle voiture ! » Elle avait signé : « Ta fiancée. »

Bon, c'était de l'humour mais elle espérait ne pas avoir commis de boulette. Elle, qui avait fait si attention à ne pas laisser percevoir ses sentiments, voilà que subitement elle y était allée franco et s'était trouvée très drôle. Elle avait appelé sa mère pour le lui raconter. C'était mignon, non ? Mais le comique de cette phrase avait totalement échappé à sa mère qui lui avait demandé pour qui elle se prenait et l'avait traitée de fofolle. Sa mère avait dû perdre la main en matière de séduction, sa réaction n'était pas très moderne. Éric n'avait pas répondu à ce mail qu'il avait certainement dû trouver très touchant, adorable. Assez ému, il n'avait pas trouvé les mots pour lui renvoyer la balle. Il allait certainement les trouver quand il la verrait en chair et en os… Dans

deux heures, maintenant… Patricia tenta de somnoler un peu en écoutant « Les filles nées en 73 » de
Vincent Delerm sur son I-pod. Elle s'abandonna
à quelques rêves éveillés, le visage d'Éric lui parvenait assez clairement, et pas seulement son visage,
toutes les images susceptibles de lui déclencher
quelques endorphines dans le cerveau étaient les
bienvenues…

Elle était descendue du train comme Marilyn dans
Certains l'aiment chaud, vacillant un peu sur ses
talons, mais Éric n'était pas sur le quai. Il l'attendait
à l'extérieur, devant sa décapotable de collection. Le
cœur de Patricia s'accéléra en le découvrant, assis
sur le capot, en jean et blouson, chemise un peu
ouverte… Décidément, elle avait beaucoup senti son
cœur ces derniers temps. Désirer, c'est être en vie.
Patricia ne s'était jamais sentie aussi vivante, aussi
à l'aise dans son corps et tant mieux car il allait
probablement lui servir dans pas longtemps… Éric
s'empara de sa valise qu'il déposa dans le coffre
après lui avoir fait deux bises. Patricia ouvrit la por-
tière en déclarant : « Alors la voilà, notre nouvelle
voiture ! » Mais comme pour le mail, Éric ne répondit rien. Il lui jeta juste un regard signifiant qu'il
n'avait rien à rétorquer à cette nouvelle provocation.
Dans la voiture, elle évita le one-woman show
en répondant poliment à ses questions. Oui, elle
avait fait bon voyage. Oui, c'était bien agréable ce
début de printemps. À Paris, il faisait bon aussi. Elle
était contente d'être là. Elle espérait bien voir les
petits écureuils. Ils étaient descendus ce matin ? Ah
super…
Vingt kilomètres plus loin, le portail s'ouvrit grâce
à une télécommande qu'Éric avait à portée de la
main. L'allée, les arbres, le bruit des roues qui crépi-
tent sur les graviers, aucun détail n'échappait à
Patricia quand elle découvrit LA maison. *The house* :
un manoir de onze pièces sur deux étages, construit

en 1935 et aujourd'hui presque entièrement recouvert de lierre sur la façade.

Patricia descendit de voiture pour faire le tour du propriétaire avec les yeux de Blanche Neige découvrant la baraque du prince Charmant. Il fallait tailler les haies dans l'allée et changer le mobilier dans le petit jardin derrière la maison : les chaises avaient l'air un peu vieilles et le parasol n'était pas génial mais elle se promit de ne rien dire avant qu'ils aient officialisé leur union.

Ce que Blanche Neige n'avait certainement pas prévu en arrivant, c'est la ribambelle de copains qui sortit de la maison pour venir saluer la princesse. Il y avait là : le meilleur ami d'Éric, un scénariste, le deuxième meilleur ami avec sa femme, la cousine d'Éric et encore un autre copain. La plupart étaient en caleçon et venaient de se lever. Ils résidaient là, eux aussi, pour le week-end ? Patricia fronça les sourcils en avisant la bande de joyeux drilles. Elle fut encore plus étonnée de voir Éric déposer sa valise dans une chambre au bout du couloir, à l'opposé de la sienne. Il démarrait bizarrement ce week-end romantique. Elle n'avait retenu aucun prénom des copains. Et lui l'avait présentée comme son attachée de presse et rien d'autre. « Quelle délicatesse, des chambres séparées… », pensa-t-elle, un peu inquiète. Elle ouvrit sa valise pour pendre dans l'armoire son beau déshabillé en soie mauve. Il ne fallait pas qu'il soit froissé. Puis elle descendit pour manger quelque chose et s'enquérir de l'emploi du temps, mais Éric était parti dans son bureau travailler avec son pote scénariste.

— Il travaille le week-end ? demanda-t-elle d'une petite voix à la cousine.

— Il travaille tout le temps, répondit la grande bringue en lui servant un verre de jus d'orange, il reste du gratin dauphinois, tu veux que je te le fasse réchauffer ?

— Non, merci…

Patricia partit explorer les pièces du rez-de-chaussée, le grand salon rustique, chaleureux, convivial. La belle cuisine confortable, chaleureuse aussi, conviviale encore. On pouvait reprendre les mêmes adjectifs pour toutes les pièces. Cette maison était super-belle. Il n'y avait rien à dire. Juste à répéter.

Éric travaillait avec son copain scénariste, la cousine s'éclipsa de son côté pour faire des courses au village, le reste de la bande monta au deuxième ou il y avait, paraît-il, un home cinéma avec une bibliothèque entière de DVD. Ils proposèrent à Patricia de venir voir avec eux le dernier Woody Allen mais elle déclina. Elle continuait de penser que ce n'était pas comme ça qu'elle avait imaginé sa romance. Elle resta seule dans le salon. La maison était bien silencieuse tout à coup. Elle regarda l'écran plasma noir, face à elle sur le mur, et prit place dans un des canapés moelleux. Quiconque serait entré dans ce salon aurait découvert une héroïne de Jane Austen au regard désolé et aux mains sagement posées sur les genoux, prête à s'abonner à *Tricot facile*, histoire de se fabriquer un plaid pour ses futures et très longues soirées d'hiver.

À vrai dire, elle ne savait même pas comment s'allumait cette télé. Il y avait sept télécommandes sous la table basse. Qu'est-ce qui correspondait à quoi ? Mystère. Patricia préférait ne toucher à rien. Elle s'enfonça dans le canapé pour réfléchir. Elle aurait dû acheter ce magazine de sudokus au relais H à la gare. Dire qu'elle n'avait pris ni livre ni manuscrit avec elle. Ce n'était pas très malin, au lieu de ça, elle avait une pharmacie entière de produits de beauté et une valise pleine de vêtements sexy et raffinés. Allaient-ils servir à quelque chose ? Ici tout le monde était en short ou en pantalon de jogging. En proie à d'affreux doutes, elle décida de sortir dans le jardin observer les fleurs et écouter chanter les oiseaux. La botanique, en général, est relaxante. Oui, mais là, elle fut anxiogène. Patricia voulait connaître sa maison, eh bien, elle l'avait vue ! Il était temps de ficher le camp, de rentrer à Paris.

Elle s'empara de son sac pour y chercher son portable. Il fallait qu'elle envoie un texto à Barbara. Elle écrivit :

Big bugs sur love story. Présence copains. Pas même chambre que lui.
Parti s'enfermer dans bureau. Suis seule au monde. Consternation...

Quelques minutes plus tard, Barbara répondait :

On dirait du Souchon. Si bugs persistent, rentre.

Le reste de l'après-midi se déroula, on ne peut plus paisiblement... Patricia disait souvent qu'elle avait une vie intérieure très riche et qu'elle ne s'ennuyait jamais. Oui, mais il y avait des limites tout de même...

Vers vingt heures, Éric sortit de son bureau en s'étirant. Il fut étonné d'apprendre que Patricia n'était pas montée voir un film avec les autres.

— Qu'est-ce que tu as fait ? lui demanda-t-il.

— J'ai écouté les oiseaux, répondit-elle, un peu rouge.

— Toute la journée ?

— Ben oui...

— Ils sont où les autres ?

— Là, ils font un tournoi de ping-pong dans le jardin...

— Pourquoi tu ne vas pas avec eux ?

— Je ne sais pas jouer...

Il l'observa l'air de dire : « Qu'est-ce qu'il m'a pris d'inviter ce boulet ? »

— Bon, on va aller dîner, conclut-il en regardant sa montre.

Sur ce, tout le monde regagna sa chambre pour se préparer. Seule Katia, la femme de son deuxième meilleur ami, protesta un peu en déclarant qu'elle avait acheté un rôti de porc pour huit personnes, mais Éric voulait sortir. Il fit quelques pas et se retourna pour déclarer à Katia qu'il était juif et que son rôti de porc elle pouvait se le carrer où... L'autre le coupa en grommelant qu'elle allait le rapporter chez elle, ça lui ferait la semaine et ajouta que dans ces cas-là il n'y avait rien pour le lendemain. Patricia comprit que la smala serait encore là le lendemain. Une autre bonne nouvelle...

Une fois pomponnée et habillée, un verre de vin à la main, les bugs et les doutes de l'après-midi commencèrent à se dissiper pour Patricia qui discutait dans la cuisine avec les amis. Et puis, au ralenti comme une apparition, elle vit Éric descendre l'escalier en boutonnant la manche droite d'une magnifique chemise blanche qu'il venait d'enfiler.

— Tout le monde est prêt ? demanda-t-il.

Il avait laissé le col de sa chemise un peu ouvert et Patricia déglutit en découvrant le haut de son torse. Il fallait vraiment qu'elle arrête de fondre comme ça au moindre de ses gestes ou mots. Ça devenait grotesque. Il s'approcha d'elle. Patricia présuma qu'il allait la complimenter sur l'élégance de sa tenue, mais sans la regarder, il lâcha :

— Tu ne sais pas où j'ai mis mon pull ?

La troupe arriva au restaurant du village vers vingt et une heures et le quatrième bug ne tarda pas à se pointer. Patricia prit place autour de la table, pensant être suivie de près par Éric mais, après avoir observé l'agencement de la table, il laissa passer François, son meilleur ami, d'abord et s'assit à côté de lui. Les autres s'installèrent au fur et à mesure. La conversation s'envola rapidement entre cette bande d'amis dont Patricia ne faisait décidément pas partie, elle commençait à le comprendre. Toute seule au bout de la table et comme personne ne lui demandait quoi que ce soit, elle sortit son portable sous la nappe et tapota :

Même pas assis à côté de moi au resto!! Ai dû choper le choléra sans m'en rendre compte.

Le dîner se déroula bien paisiblement aussi pour Patricia qui, en temps normal, monopolisait la parole à grands renforts de sancerre rouge. Ce soir-là, elle avait dû lâcher une dizaine de phrases à tout casser : « Oui, c'est délicieux », « Oui, je veux bien un peu d'eau, merci », « Oh elle est pétillante ! C'est la fête ! »

Le retour ne fut pas mal non plus. Éric, à l'arrière d'une voiture conduite par un des sujets de sa cour, laissa passer sa cousine entre lui et Patricia. Intérieurement, elle fit un petit bilan de cette journée et en conclut : pour l'instant, on ne s'est même pas effleuré l'index !

C'était prometteur. De retour à la maison, Patricia observa tout ce petit monde dans la cuisine, occupé à se faire chauffer de l'eau pour la camomille ou le tilleul du soir. Elle préférait plutôt crever que de boire ça... Certains montèrent se coucher, d'autres optèrent pour un autre DVD dans la bibliothèque-home cinéma... Patricia resta dans la cuisine et jeta un œil dans le réfrigérateur. Il y avait là une belle bouteille de vodka, à laquelle elle aurait volontiers fait sa fête. Elle se retint. Éric s'était installé au piano dans le salon. Il jouait divinement bien, évidemment. Bon juste un petit verre, personne n'en saura rien. Elle s'installa à la table de la cuisine et se servit une bonne rasade d'alcool avant de vite ranger la bouteille. Les notes du piano s'arrêtèrent. La cuisine étant largement ouverte sur le salon, on y voyait tout ce qui s'y passait. Éric se leva et regarda Patricia. Il ouvrit quelques boutons de sa chemise et s'approcha d'elle. Enfin un moment d'intimité. Ils étaient seuls.

— Tu veux, commença-t-il de sa voix rauque…

— Quoi ? répondit-elle, palpitante.

— Tu veux que je fasse du feu dans la cheminée ?

— D'accord…

Elle s'imaginait déjà devant, allongée sur une peau de bête en train de se prélasser.

— Je vais me changer, dit-elle.

Elle se dirigea vers l'escalier tandis qu'Éric disposait des bûches dans la cheminée. Le déshabillé en soie mauve qui attendait sagement dans la penderie allait faire son apparition pour sa scène sensuelle. Patricia se trouva un peu trop nue devant la glace avec cette robe « appel au péché ». Elle revêtit un cardigan par-dessus. La chemise de nuit toute seule, c'était trop et puis il faisait un peu froid. Elle redescendit les marches comme Scarlett O'Hara dans *Autant en emporte le vent*. Le feu faisait éclater les bûches, envoyant quelques gerbes d'étincelles qu'Éric contemplait, fasciné, la chemise débraillée. Comme il n'avait pas installé de peau de bête par terre, Patricia reprit place autour de la table. Ils admirèrent le feu en silence. Éric se retourna et constata qu'elle avait changé de tenue. Il fit quelques pas vers elle, posa sa main sur son épaule et doucement, se pencha à son oreille :

— J'aimerais…

— Oui, murmura-t-elle dans un souffle.

— J'aimerais que tu fasses quelque chose pour moi…

— Tout ce que tu veux, ne put-elle s'empêcher de répondre.

— Je voudrais que tu lises mon manuscrit, mon prochain roman, je l'ai presque terminé. J'aimerais que tu me dises ce que t'en penses…

— D'accord, lâcha-t-elle, le regard vide…

Éric se rendit dans son bureau et en rapporta au moins trois cents pages non reliées qu'il déposa d'un bruit sec sur la table devant le regard médusé de son invitée.

— Voilà, c'est le début…

— Quelle chance, j'ai… Justement, je me disais cet après-midi que je n'avais pas apporté de livres…

— Si tu vois des choses à corriger, ne te gêne pas. Tu as un stylo ?

— Euh… pas sur moi, dit-elle en regardant sa nuisette. Elle commençait à regretter les cent quatre-vingt-sept euros de cette foutue chemise de nuit à la con et réalisa qu'elle avait oublié ses lunettes sur son bureau à Paris. Décidément, elle n'avait pas imaginé ce week-end comme ça.

À la lueur du feu, Patricia entreprit sa lecture en se tuant les yeux. Éric était reparti, dans sa chambre, dans son bureau, au deuxième avec les autres ? Peu importe, Patricia avait du pain sur la planche.

En une heure, elle avait lu cent pages. Deux heures plus tard, elle en était à plus de la moitié quand Éric fit une nouvelle apparition dans la cuisine :

— Tu t'en sors ?

— Oui, oui…

— Ça te plaît ?

— C'est magnifique…

Elle avait les larmes aux yeux. Il est vrai qu'elles sont tellement belles ses histoires, à moins que ce ne soit ses rétines qui crient au secours.

— Tu veux un Kleenex ?

— Oui, s'il te plaît…

Il tira une feuille de Sopalin qu'il lui tendit.

— Merci, dit-elle en s'essuyant le coin de l'œil…

Et c'est à ce moment-là que François, le meilleur ami scénariste, entra :

— Éric m'a dit que tu aimais lire…

— Ben…

— Il paraît que t'es une super-lectrice et que tu fais des réflexions très pertinentes sur ce que tu lis…

— C'est vrai, tu as dit ça ? dit-elle en levant des yeux reconnaissants vers Éric.

Il ne répondit pas et François enchaîna :

— J'aimerais que tu lises le scénario que je suis en train d'écrire. Je vais te le chercher…

— Euh, d'accord…

Il lui restait encore cent dix pages du manuscrit d'Éric, mais au point où elle en était… François entra tout frétillant dans la cuisine et déposa cent vingt pages de scénario d'un autre coup sec sur la table :

— Voilà, tu me diras ce que tu en penses ?

— D'accord, répondit-elle, les yeux à nouveau vides…

— Si tu veux corriger certaines choses…

— Oui je sais… Si tu permets, je finis d'abord le roman d'Éric…

— Pas de problème, prends ton temps…

— On a toute la nuit, renchérit Éric.

Ils la laissèrent là. Quelle bêtise d'avoir oublié ses lunettes ! Une heure et demie plus tard, elle avait presque fini le roman d'Éric Hermann. Il n'avait pas encore de titre et la fin restait à déterminer mais il avait accompli un sacré travail. Comment faisait-il pour écrire des best-sellers en trois mois de temps ? Dans sa maison d'édition, les autres écrivains mettaient un an, voire deux pour pondre quelque chose et, pour la plupart, gagnaient leur vie en ayant une autre profession à côté. Éric n'avait pas besoin de faire autre chose. Ses romans lui rapportaient suffisamment et, si jamais il avait envie de faire autre chose, ce serait du cinéma.

Patricia écrivit quelques annotations sur le dos de la dernière page, c'étaient plus des suggestions que des corrections. Elle poussa le manuscrit d'Éric au bout de la table pour laisser la place à celui de François. Un scénario, ça se lisait beaucoup plus vite qu'un livre.

À trois heures quarante-neuf du matin, Éric entra dans la cuisine avec de nouvelles feuilles :

— Ça y est j'ai trouvé la fin. Dis-moi ce que t'en penses ?

— J'ai quelques notes sur le scénario de François.

— Laisse-les. Tu le finiras demain, il est allé se coucher de toute façon.

Il lui tendit les dernières pages mais, au lieu de partir, il s'assit en face d'elle et guetta ses réactions à chaud. Elle avait du mal à se concentrer quand il était dans la même pièce qu'elle. Il le fallait bien pourtant :

— C'est un happy end, commenta-t-elle en relevant ses jambes sur la chaise voisine de la sienne.

Elle ressentait quelques douleurs dans le dos et cherchait une position plus confortable.

— Évidemment. Ils se retrouvent à la fin !

Il parlait de ses personnages.

— Et ils vécurent heureux et eurent beaucoup d'enfants, conclut Patricia en songeant qu'aucune de ses histoires d'amour n'avait connu de happy end. Jamais. Pouvait-elle en vivre une avec Éric ? C'était mal barré. Pour l'instant elle n'avait même pas de happy début. De toute façon, une comédie qui se termine par un mariage c'est une tragédie qui commence, disait Sacha Guitry.

Éric se leva pour faire les cent pas autour de la table et commença à réfléchir à voix haute. « Il faut qu'ils se retrouvent à la fin, ça n'a pas de sens sinon. » Il monologua pendant dix minutes, reprenant point par point la construction de son roman. Que cherchaient ses personnages ? Pourquoi et comment ? Patricia acquiesça en relevant la soie mauve de ses jambes. Oui, elle était d'accord. Il n'avait pas à se justifier, cette fin tenait la route, quoique un peu prévisible mais bon… Il s'arrêta devant la cheminée, passa sa main dans les cheveux et défit les deux derniers boutons de sa chemise. Il était plongé dans son histoire. Les flammes, le bruit du bois qui éclatait dans l'âtre semblaient l'aider à se concentrer. Patricia, pas du tout… Si elle avait été réalisatrice, elle aurait gardé en mémoire cette lumière, ce halo romantique que produisait la cheminée autour de la silhouette d'Éric. Et si c'était elle qui tentait quelque chose ? Elle ôta son cardigan. Aujourd'hui les hommes ne tentaient plus rien sur les filles, ils les laissaient venir et ils avisaient par la suite. Les rôles s'étaient inversés, paraît-il, au tout début du vingt et unième siècle. En tout cas, c'était écrit dans *Psychologie Magazine*. Et si elle se levait ? Et si elle le retournait et qu'elle l'embrassait sans lui laisser le choix ? Un baiser un peu volé, un peu violé, un baiser de voyou, ça pouvait avoir du charme aussi dans cette belle cuisine romantico-studieuse, cette atmosphère de réflexion, entrecoupée de silences et de crépitements du feu. Oui, elle allait se lever, d'ailleurs elle était en train de le faire. Elle s'avança pieds nus vers lui mais il se retourna et parut surpris de la découvrir juste derrière lui.

— Qu'est-ce que tu fais ?

— Rien, rougit-elle, une fois de plus.

Elle avait l'impression d'être nue dans sa chemise de nuit mauve. Sa bouche était à sept centimètres de la sienne.

— Déjà quatre heures dix ? dit-il en jetant un œil à la pendule. Faut aller se coucher !

Il rangea deux bols dans l'évier, éteignit quelques lumières et se dirigea vers les escaliers.

Patricia ne tenta pas le « ensemble ? » – d'ailleurs elle ne tenterait plus rien. Il n'avait pas envie, c'est tout. C'était désespérant mais c'était comme ça. À ce stade, elle avait renoncé à compter les bugs. On en était à combien ? Dix au moins. Elle reprit son cardigan sur le dossier de la chaise et finit son fond de vodka cul sec. Elle regarda les deux manuscrits sur la table, au moins elle avait bien bossé. Elle monta au premier. Éric se lavait les dents dans sa salle de bains.

Il était torse nu. Une nouvelle torture pour Patricia mais elle n'en montra rien. « Indifférente, je suis totalement imperméable à son charme, son visage, son toooorse, oh, là, là ! Non, je me fous de tout. »

Elle avait récupéré un fond de dignité et c'est avec un air méprisant qu'elle prit sa brosse à dents et commença à se les laver sans lui adresser un regard. Lui l'observait par un jeu de miroir. Il se rinça la bouche, prit une serviette, s'essuya le visage et déposa sur sa joue une bise fraternelle :

— Bonne nuit. À demain.

Elle ne répondit rien. Il sortit de la salle de bains et Patricia entendit le bruit de la porte de sa chambre. «Enferme-toi à clé, connard ! On ne sait jamais», pensa-t-elle.

Elle était anéantie. C'était la première fois de sa vie qu'elle vivait ça. Tout lui paraissait surréaliste. Comme si elle était dans la peau d'une moche. Elle tenait le prochain sujet de son blog : «Je viens de passer tout un week-end dans la peau d'un laideron. C'est assez horrible, surtout quand on est chez un mec ultra-sexy !» Effrayée, elle eut la sensation de faire irruption brutale dans le clan des filles dont Virginie Despentes parle au début de son dernier livre *King Kong théorie* : «J'écris de chez les moches pour les moches, les vieilles, les camionneuses, les frigides, les mal-baisées, les imbaisables, les hystériques, les tarées, toutes les exclues du marché à la bonne meuf.»

Non, ce n'était pas possible ! Pas elle. Qui avait décidé de l'exclure du marché à la bonne meuf ?

Non, c'est lui qui devait avoir un problème. Elle avait eu suffisamment de succès dans la vie pour que la situation lui paraisse anormalement inédite. C'est elle qui leur ruinait leur week-end d'habitude, comme la fois où elle était partie à Courchevel avec ce commercial sans même l'embrasser une fois, ne serait-ce que pour le remercier. Ce freluquet était sympathique, certes, mais pas assez bien pour elle. À tous points de vue. Même sur les pistes, elle s'amusait à le semer et ne l'attendait jamais aux télésièges. Elle s'envolait toujours avec quelqu'un d'autre, si possible un moniteur de ski, bien bronzé, avec des super-lunettes, repéré quelques minutes plus tôt.

Patricia n'aimait pas qu'on lui refuse ou qu'on lui impose quoi que ce soit. Et surtout pas un câlin qui aurait été une corvée. Mais là, dans la maison d'Éric, pour une fois, elle aurait bien fait l'amour sans rechigner. Pour une fois que c'était elle qui voulait bien, c'était lui qui faisait sa bêcheuse. Pas de chance ! Ça ne collerait donc jamais ? Et s'il avait été engagé par ses ex pour les venger ? Éric Hermann était en train de les indemniser l'un après l'autre. Elle vous en a fait voir de toutes les couleurs ? Ne vous inquiétez pas. Je m'en occupe.

Patricia reposa sa brosse à dents à côté de la sienne et s'observa dans le miroir. Non, elle n'avait pas vieilli de vingt ans en un week-end, n'avait rien d'une camionneuse, était tout sauf imbaisable, ne s'estimait pas tarée, un peu fantasque par moments peut-être... Bon, il fallait bien l'accepter : il ne l'aimait pas. Pas comme elle croyait. Il n'avait pas confiance ? Elle n'était pas son type physiquement. Il ? Il ? Il ? Il était probablement amoureux de quelqu'un d'autre ! Oui, ça devait être ça... sinon *what else* ? Sur le couvercle d'un grand panier en osier, un pull noir traînait, elle s'en empara et le porta à son nez en fermant les yeux. *Habit rouge*. Le parfum provoqua en elle une nouvelle bouffée de désir. L'odeur d'Éric. « Arrête, se sermonna-t-elle. N'en rajoute pas, pense à autre chose. » Eh bien tant pis, foutu pour foutu : autant aller jusqu'au bout. Patricia se dirigea vers la chambre d'amis avec le pull. Elle se glissa dans les draps et tenta de s'endormir, sans pleurer, la joue sur le pull.

Le lendemain matin

Le bruit d'une porte qu'on ouvre : c'était la sienne, celle de sa chambre. Une vision : Éric dans l'embrasure, la main sur la poignée, la regardait s'éveiller.

Elle se frotta les yeux en espérant qu'elle n'avait pas de vilaines poches ou cernes car elle avait tout de même un peu pleuré pour s'endormir.

— Qu'est-ce tu prends au petit déjeuner ? Thé ou café ?

Il avait l'air de très bonne humeur.

— Cappuccino.

Éric fronça les sourcils.

— S'il n'y en a pas, du café fera l'affaire, se reprit-elle.

— C'est mon pull ?

— Heu… oui, dit-elle en se redressant.

Ô suprême humiliation : il réalisa qu'elle avait pris son pull noir comme doudou pour la nuit.

— C'est le pull que je cherchais, il était où ?

— Dans ta salle de bains.

— Bon, tu descends. Je t'attends pour le petit déj !

Et il tourna les talons, tout frétillant. Patricia l'entendit descendre les escaliers en chantonnant. La honte qu'elle ressentait était indescriptible. Il avait vu qu'elle avait dormi avec son pull, à défaut de lui. C'était hyper-humiliant mais Éric n'avait pas semblé être choqué du tout. Ni choqué, ni consterné, ni même attendri. Non, rien. Après tout, c'était peut-être naturel pour lui : bon nombre de filles dormaient avec son pull la nuit et le lui rendaient au petit matin baigné de leurs larmes d'amour frustré !

S'il existait des hommes sur terre pour qui cette situation était « normale », ils ne devaient pas être bien nombreux…

Un brin de toilette et elle était prête à descendre pour affronter son regard. S'il subsistait encore quelques doutes dans la tête d'Éric sur les sentiments que lui portait Patricia, au moins il savait maintenant. Tant pis ou tant mieux. Ils prirent leur petit déjeuner côte à côte. Au mur, l'écran plasma diffusait les infos de LCI mais les malheurs du monde lui semblaient bien insipides comparés aux siens. Elle était plongée dans un chaos émotionnel où les questions, les doutes, les élans d'amour se télescopaient puis venaient s'échouer sur une plage d'amertume.

— Je vais refaire des toasts, tu en veux ? annonça-t-il en se levant.

— Oui, merci…

— Il est à quelle heure ton train, ce soir ?

— Dix-huit heures vingt-sept, répondit-elle d'une petite voix.

— On partira vers moins le quart.

— Où sont les autres ? demanda-t-elle.

— Ils sont partis bruncher en ville. Il faudrait que tu finisses le scénario de François.

— Je vais m'y remettre.

Rien n'avait changé par rapport à la veille. Bon copain, bel indifférent ou mur de glace, foutu pour foutu…

— Je suis content, dit-il, de notre discussion sur la fin de mon livre, hier soir. J'ai trouvé pas mal de choses en te parlant…

— Elle est très bien ta fin, mon chéri.

Oups ! ça lui avait échappé. La boulette, une de plus ou de moins : foutu pour foutu…

Il ne releva pas, évidemment, et Patricia monta prendre sa douche, honteuse, mais ça devenait une habitude depuis vingt-quatre heures…

Quand elle redescendit, deux heures plus tard, la bande était revenue et Patricia sourit timidement en répondant à tout un tas de questions barbantes du style : « Bien dormi ? On n'a pas fait trop de bruit ce matin ? On a été au marché aux fleurs, dieu que c'était beau, on a acheté un beau bouquet de renoncules pour la maison d'Éric, c'est la fleur des poètes. »

Renoncule ? la fleur des poètes ? c'est bien, ça rime avec…

Ce que ces gens pouvaient être chiants entre leur camomille du soir et leur marché aux fleurs le matin !

Coup de sonnette. Tiens, un chieur de plus ?

— Tu attends quelqu'un ? demanda la cousine.

— Oui, répondit Éric, arrêtant de couper les tiges des fleurs au-dessus de l'évier, c'est mon coiffeur.

Éric Hermann ne va pas « au coiffeur », non c'est le capilliculteur qui vient chez lui. Patricia vit d'un mauvais œil l'arrivée de cet autre trouble-fête qui allait s'attaquer à la magnifique crinière noire d'Éric. Très vite, un coin de la grande cuisine se transforma en succursale de Franck Provost et, tandis que le nouveau venu approchait une paire de ciseaux menaçante au-dessus de la tête de la célébrité locale, Patricia s'écria :

— Pas trop ! Ne lui coupez pas trop !

Les autres éclatèrent de rire devant ce cri du cœur.

— Je veux dire, il est bien comme ça...

Éric lui jeta un regard, l'air de dire : « Tu ne veux pas te mêler de ce qui te regarde ! »

— Pas plus d'un centimètre, promit le coiffeur.

— Non mais c'est vrai, se justifia Patricia, il est si beau...

Elle se mordit la langue mais trop tard. Ce qui était embêtant, c'était d'avoir dit ça devant toute la bande. Qu'Éric soit au courant de son trouble, bon à la limite, il était le premier concerné, mais ses copains ! Tant pis, foutu pour foutu...

— Je ne me trouve pas beau, déclara Éric en relevant la tête.

— Ne bougez pas, lui ordonna le coiffeur.

« Pas beau ? Tu te fiches de moi ? » pensa Patricia.

— Tu veux finir mon scénario ? lui proposa François.

— J'allais le faire, rétorqua la bonne poire.

— Merde, j'avais acheté du jambon aussi, s'aperçut Katia en ouvrant le réfrigérateur.

Patricia passa le restant de l'après-midi à lire paisiblement, puis à discuter avec François de son scénario. Le meilleur ami d'Éric était très sympathique, chaleureux et drôle. Après tout, ce n'était pas plus mal qu'il soit là et qu'ils « travaillent » un peu ensemble, ça lui changeait les idées, l'aidait à ne pas se focaliser sur les photos d'Éric avec ses anciennes conquêtes. Elle aurait le temps plus tard de ruminer à propos de ce week-end.

Ils ne furent interrompus que par l'irruption de la cousine qui leur demanda s'ils voulaient de la tarte au chocolat tout juste sortie du four.

Vers dix-sept heures trente, Patricia remonta dans sa chambre pour rouler en boule au fond de sa valise ses tenues de Festival de Cannes. Ce n'était pas plus mal que tout ça s'arrête. Il fallait mettre un terme à ce week-end désastro-romantique.

Dans le salon, Éric écoutait de la musique avec un casque, ça l'inspirait. À contrecœur, il l'ôta et réalisa qu'il était l'heure de ramener l'autre gourdasse à la gare. Du moins, c'est comme ça que Patricia, un peu parano, le ressentait.

Dans la voiture, elle ne fut pas très bavarde, gardant les conclusions de ce week-end pour elle. En réalité, elle sentait une boule d'angoisse l'envahir peu à peu et avait hâte d'être chez elle, emmitouflée dans sa couette devant la télé. Que les choses rentrent dans l'ordre, vite. Reprendre sa petite vie et oublier Éric Hermann. Ça allait être dur, ils étaient liés professionnellement mais pour lui, la promo se faisait toute seule. Patricia décida qu'elle allait se concentrer sur les jeunes romanciers qui sortaient leurs premiers livres et pour qui c'était plus dur… Après tout, elle servait à ça.

Il se gara sur le parking de la gare et sortit sa valise du coffre.

— Merci pour ce week-end, dit Patricia.

En toute circonstance, elle restait une jeune fille polie.

— De rien, lui répondit-il.

« C'est le cas de le dire », pensa-t-elle.

Elle ne put s'empêcher de fermer les yeux quand il déposa une bise sur sa joue, puis elle tourna les talons pour s'engouffrer et disparaître dans la foule.

Il la regarda s'éloigner avec sa valise et ses angoisses, se demandant si elle allait se retourner. Elle n'en fit rien.

Le train était déjà à quai, Patricia monta en ayant pris soin de garder son paquet de Kleenex à portée de larmes. Ce retour allait être long… Il fallait réagir. Pas de déprime. Aller de l'avant. Les maths peuvent-elles résoudre un problème amoureux ? Elle sortit son carnet de notes de son sac à main et écrivit :

« Sachant que vous avez été amoureuse pendant trois mois, combien de temps faut-il pour se "désa-mourer" » ? En général, les filles non *exclues du marché à la bonne meuf*, comptent dix pour cent du temps. Pour quatre-vingt-dix jours d'exaltation, il faut donc compter neuf jours pour que ça se calme et peut-être compter un tiers de cette période pour la stabilisation, comme pour les régimes : trois jours de plus donc. Dans onze jours, elle n'aurait plus de nœuds à l'estomac – si ses calculs se révélaient exacts. Onze jours c'est long. Peut-être qu'un bon psy, avec les derniers antidépresseurs à la mode, pouvait raccourcir cette période de « désamourage ».

Ce qu'il fallait aussi, c'était ne plus jamais revivre ça. Les « Je t'aime trop, t'es trop beau », c'est le fiasco assuré.

Pour elle, comme pour Barbara, chaque fois qu'elles avaient eu un coup de foudre, qu'elles s'étaient avouées conquises dès le départ, ça s'était soldé par une débâcle ! Un beau « courage fuyons ! » de la part d'enfoirés affectifs, honteux d'avoir trompé leurs femmes ou n'ayant aucune envie de se « faire mettre le grappin dessus par cette folle » !

Ce qui était sûr aujourd'hui, c'est qu'il y avait beaucoup plus de masos que de machos, d'hommes ayant besoin de courir, d'idéaliser, de fantasmer et de prendre quelques coups de cravache psychologiques.

Outre quelques crétins méditerranéens à QI de vaches, affublés de bonnes femmes qu'ils confon-daient souvent avec des plantes vertes ou des bonniches, le machisme était mort… (Cette phrase peut être supprimée si ce livre est un jour traduit, à la surprise générale, en Arabie Saoudite ou en Iran.)

« Homme = prédateur », nota Patricia sur son carnet. Elle raya *prédateur*, qui avait une consonance tueur en série et le remplaça par *chasseur*, plus adéquat.

« Fille acquise trop facilement = proie déjà morte. »

À part pour quelques vieux léopards souffrant de rhumatismes, la proie déjà tuée n'est pas très marrante. Plus la course est longue et douloureuse, meilleure est la récompense. Pour Éric, la proie avait été tellement facile qu'il n'y avait même pas goûté ! C'était la dernière fois, pensa Patricia vengeresse, je ne suis pas demandeuse. Elle et Barbara pouvaient mettre en place des études de cessation de racolage affectif. D'ailleurs, Patricia allait les mettre au point dès maintenant. Elle nota :

Études de cessation de racolage affectif

Elles se déroulent sur cinq mois :
Deug sur deux mois.

Premier mois. Sensibilisation : apprendre à ne jamais s'emballer. Garder sa personnalité, ses priorités. Vous n'êtes ni infirmière ni nounou. Pas de « je t'aime » sans avoir vu la couleur d'une bague de fiançailles. Chanter : « À ce qu'on est bien quand on est seule et peinarde… »

Ne plus jamais flipper comme une malade au moindre silence.

Tu ne me rappelles pas ? C'est parfait, je n'en avais pas envie non plus ! (Éviter d'ajouter connard derrière, c'est inutile.)

Deuxième mois. Je me fous du monde : ne jamais rien regretter de ce que l'on a pu dire ou faire. Tant pis pour les bourdes. Apprendre par cœur *Je suis comme je suis* de Jacques Prévert et le replacer à tout moment. Rester digne et droite. Je suis ma propre planète et non pas un petit satellite qui tourne autour d'une grosse planète qui ne veut même pas de moi.

Bien regarder et analyser les reportages sur les femmes battues, genre « Le droit de savoir », excellents pour le moral ; comprendre que vivre sans mec, c'est aussi vivre sans gros ennuis.

TROISIÈME MOIS : LICENCE de je-me-la-pète-grave. Ces cours vous serviront à acquérir les connaissances minimales pour vous la jouer en toute circonstance et ne plus jamais vous laisser impressionner par quiconque, homme ou femme.

QUATRIÈME MOIS : MAÎTRISE C.D., autrement appelée maîtrise Catherine Deneuve ou comment apprendre à être parfaitement glaciale. Les cours porteront sur l'utilisation du mépris absolu tout en allumant le désir sans avoir l'air d'y toucher.

CINQUIÈME MOIS : DESS : diplôme d'études Sharon Stone ou comment apprendre à être une vraie salope manipulatrice et sûre d'elle. Jouer avec les hommes, les appeler, les jeter, souffler le chaud et le froid sans arrêt et les regarder se taper la tête contre les murs.

Le problème avec ce genre d'examens, c'est qu'on les réussit toujours avec des hommes dont on se fout. Or, il faudrait les réussir avec tous, y compris quand « Mister Perfection » – Éric Hermann – déboule dans votre vie.

Home sweet home

À peine avait-elle jeté ses clés par terre, en entrant chez elle, que le téléphone sonna. Sa mère avait un don pour calculer ses horaires et ses allées et venues. Patricia lui annonça d'une voix morne qu'elle avait passé un bon week-end, dans le genre paisible et studieux. Sa mère remarqua qu'elle n'était pas très loquace : « Mais maman que veux-tu que je te raconte ?

s'énerva Patricia. Il ne s'est rien passé! Strictement rien. Il ne m'a même pas touché le petit doigt!» Les propos de sa mère sur la virilité de cet Éric pouvant tomber sous le coup de la nouvelle loi contre l'homophobie, elle raccrocha rapidement. Dépitée, elle erra jusqu'à la cuisine, ouvrit deux placards, le frigo et réalisa qu'elle n'avait rien à manger, en dehors d'une soupe en sachet Knorr à la tomate. Elle n'avait pas faim, de toute façon. Tout l'exaspérait. Ne pas penser. Sortir ses vêtements de la valise, les apporter au pressing le lendemain et ne plus penser. Le téléphone sonna à nouveau, Patricia le laissa, attendant que son répondeur prenne l'appel. Qui l'appelait sur son fixe? Ce n'était pas Éric, il n'avait pas le numéro. Elle écouta son message d'annonce et la voix de sa sœur résonna : apparemment, sa mère lui avait déjà fait un compte rendu. Ce genre de chose allait vite dans la famille et c'est d'une voix un peu trop hilare que sa sœur laissa sur le répondeur : «Allô, bonjour, je suis bien chez Bricorama? Il paraît que vous faites de bien beaux râteaux cette année? Vous pouvez m'en parler?»

Patricia débrancha la prise et s'écroula sur son lit.

Forcément, c'était facile pour sa sœur, elle était mariée, épanouie – enfin peut-être. En tout cas son mari n'échappait pas non plus à ses sarcasmes, elle avait toujours été un peu vacharde et devait être ravie que sa frangine se soit pris une gamelle avec le roi du roman à l'eau de rose. Ça allait lui rabattre son caquet à la petite princesse!

Le lendemain au bureau

Elle traça. Inutile de s'attarder devant les quelques filles au courant de son week-end romantique avec Éric Hermann, l'homme qui a vendu plus de livres que monsieur Poilâne a vendu de tartines. Alors, comment il est dans la vie? Hein? Quel genre d'amant? Non, pas la peine. Devant leurs regards avides d'interrogations croustillantes, elle claqua la porte de son bureau. Tant pis, elle n'avait pas grand-chose à raconter, ce n'était pas la peine qu'elles se mettent, elles aussi, à la surnommer Miss Bricorama, la reine du râteau !

Bon retour dans le monde réel...

Les études de cessation de racolage affectif marchèrent assez bien. Patricia ferma son cœur, travaillant ses regards méprisants : iris dédaigneux, sourcils hautains et fond de l'âme un peu triste de la fille qui découvre que sa vie ne sera jamais adaptée à l'écran par Walt Disney. Personne n'épouse un écrivain célèbre en un rien de temps. Les femmes officielles de ce genre de personnages sont en général là depuis longtemps, ont connu leurs maris jeunes et sans le sou, à une époque où «il emmerdait tout le monde avec ses poèmes». Et puis un jour le miracle se produisit : un succès littéraire. Quelle joie pour sa femme qui martela à qui voulait l'entendre : «Je le savais ! Je le sentais !», et quel étonnement pour sa belle-mère qui cessa de l'appeler «l'autre bon à rien».

S'IL EST CÉLIBATAIRE : Il optera pour le rester le plus longtemps possible. «Tu sais j'écris, j'ai besoin de rester seul et concentré...»

S'IL ÉCRIT DE JOLIES HISTOIRES D'AMOUR : Pas d'aventure sans lendemain. Il a besoin de tomber amoureux comme ses personnages. Il a très peur d'être «glué» par une pieuvre accro dont il ne saura que faire pour se débarrasser. Il ne sait pas larguer. La rupture ne fait pas partie de son univers. Il aime pour la vie. D'ailleurs, c'est en général ce qui est écrit dans la presse people au-dessus de la photo floue où on le voit embrasser une chanteuse dans les rues de New York, six mois plus tard une productrice à Los Angeles et un an après une journaliste télé dans une gondole à Venise...

S'IL ÉCRIT DES THRILLERS SANGUINOLENTS : Il n'hésite jamais à coucher – même pour un soir. Il sautera toutes celles qui le veulent. Libraires, vendeuses au Virgin, étudiantes, fans et même mannequins. Il se prend pour le Keith Richards du roman noir et les quittera en déclarant qu'il est obligé de s'absenter pour aller interviewer un psychopathe notoire dans un hôpital psy et par la suite s'enfermer six mois dans son chalet à la montagne pour rédiger… Bien plus tard, elles auront le bonheur de se reconnaître violées, égorgées et jetées au fond du lac dans le prochain roman tiré à quatre cent mille exemplaires et déjà acheté par la boîte de prod de Luc Besson…

S'IL ÉCRIT DE LA SCIENCE-FICTION : Pour lui le mariage est déjà de la science-fiction. Il regarde les gens, sa ville, son pays, sa planète comme s'il venait d'y débarquer. Il est aussi bien fasciné par l'univers et le climat que par les fourmis ou les neurones. Il éblouit d'histoires hallucinantes la fille qui dîne avec lui la première fois. Au troisième dîner, celui où on couche après, la malheureuse en sort saoulée comme si elle venait de se taper deux cartons entiers de vieux numéros de *Science et vie* et aura tendance à se jeter sur l'aspirine en rentrant plutôt que sur lui. Elle peut y aller, néanmoins, s'il n'est pas trop repoussant physiquement et si elle a passé un bac où il y avait plus de maths, de biologie et de chimie que de littérature pure…

S'IL ÉCRIT DES ROMANS MÉTAPHYSIQUES ET SURNATURELS : Son imaginaire est un multiplex où l'on diffuse sans arrêt des histoires dans le style de *Ghost*, *Les autres* et *Sixième Sens*… Cet auteur-là est fasciné par la mort. D'accord. Le détail encombrant à raconter à sa famille, c'est que cet auteur-là communique avec les morts. Toujours d'accord ? Sa meilleure amie est évidemment médium et vit dans un château hanté en Dordogne. Elle est entrée en communication avec Lino Ventura qui va très bien, mange des pâtes et fait du théâtre dans l'au-delà. Toujours OK ? Au troisième dîner, c'est la fille qui se barre en courant quand il lui sort une lettre que Romain Gary lui a écrite la semaine dernière par l'intermédiaire de sa médium…

S'IL ÉCRIT DES ROMANS CONTEMPORAINS TRÈS TRISTES SUR L'ABSENCE ET LA PERTE D'UN ÊTRE CHER : Lui aussi est fasciné par la mort mais ne dérange personne dans l'au-delà. Il écrit sur la douleur de vivre au quotidien. Il a de très bonnes critiques et des prix littéraires. Il est très mignon… et totalement gay.

Bref. Le dossier Éric H. Quel affront fait à sa féminité ! « On ne me fait pas traverser la France pour que je lise un manuscrit. Je ne suis pas éditeur, ni agent littéraire. » Patricia gardait pour elle cette réflexion et n'avait aucun commentaire à faire sur ce week-end… studieux. À propos de week-end studieux, un autre se profilait à l'horizon, mais professionnel celui-là. Patricia allait devoir accompagner une petite troupe d'écrivains dans un salon du livre, à Metz. Éric Hermann ne faisait pas partie du lot, heureusement. Ces derniers temps, elle s'arrangeait pour que ce soit Coralie qui le prenne au téléphone. Elle était en convalescence d'histoire d'amour frustrée et n'était pas prête à entendre sa voix. La rechute la guettait. Difficile d'en vouloir à un homme qui n'a pas cédé à la tentation sexuelle. D'habitude, c'était tout de même après qu'on se faisait jeter…

Épisode n°2 :
Son passage à Metz, une ville où l'on peut tomber amoureuse... si...

Une bien jolie ville, constata Patricia en découvrant Metz à travers les vitres du car, même si elle est très à l'est. L'Est n'est pas réputé pour être très glam mais apparemment les gens qui s'occupaient de la communication de cette ville y avaient pensé car elle découvrit sur un prospectus de la ville : METZ, VILLE GLAMOUR. Tiens donc...

Le salon était bourré de monde et surtout d'auteurs, cent cinquante au moins. Bientôt, il y aurait plus d'écrivains que de lecteurs, pensa Patricia. Elle et sa collègue Clémentine, chargée du relationnel avec les libraires, avaient six auteurs sous leur responsabilité : trois filles et trois garçons et, pendant qu'ils dédicaçaient leurs livres, il fallait meubler, s'occuper. Derrière les stands, Patricia regardait la foule, cherchait une chaise, sortait une lime à ongles, discutait avec le libraire, observait les gens, les autres écrivains surtout... Ceux d'autres maisons d'édition qu'elle connaissait de vue, ou pas du tout. Il y avait des nouveaux chaque saison et cette année regorgeait de journalistes ayant écrit des essais sur la guerre en Irak, la politique ou l'actualité. C'est d'ailleurs eux qui vendaient le plus. Sale temps pour les romans, à part Éric Hermann... Ah non ! Elle s'était promis de ne plus y penser ! Éric H. était rangé dans l'hémisphère gauche du cerveau, côté mémoire dans un tiroir qui contenait les souvenirs bizarres, incompréhensibles et tabous. À présent, il fallait songer à remplir le tiroir : histoires fabuleuses, magnifiques et inoubliables... Un tiroir désespérément vide face à l'autre rempli de conneries. Et pourquoi pas maintenant ? Subitement, son attention fut attirée par un des auteurs présents. Un homme mystérieux qu'elle ne voyait que de dos pour l'instant : une veste noire, des cheveux poivre et sel assez sexy mais lorsqu'il se leva pour s'étirer, Patricia fut comme électrisée par sa silhouette. Immédiatement, elle pinça le bras de Clémentine et lui indiqua du menton le grand type occupé à se dégourdir les jambes. Clémentine comprit le message. Un pincement sur l'avant-bras signifiait canon à l'horizon.

— C'est qui ? demanda-t-elle.

— Aucune idée mais j'aimerais bien le savoir.

— Attention beau mec de dos ne signifie pas beau mec de face... Il faudrait qu'il se retourne, qu'on voie sa tête...

— Tu ne veux pas t'approcher ? Comme ça tu verrais son visage, ses bouquins, son nom...

Le mystérieux auteur s'était rassis pour dédicacer son livre à une passante souriante. Clémentine s'approcha à pas de loup et laissa tomber un stylo juste derrière sa chaise. Il roula un peu loin, malheureusement. Elle se baissa discrètement et tenta de le récupérer à quatre pattes sous son siège. L'homme, sentant une présence inconnue, regarda vers le sol et tomba sur un large postérieur boudiné dans un pantalon bleu. Il ne distinguait pas le haut du corps qui avait glissé sous sa chaise. L'homme bougea son siège et Clémentine prit un des barreaux dans le front.

— Je peux vous aider ? demanda le grand type en se penchant.

— J'ai perdu mon stylo, l'informa le postérieur.

« Mais qu'est-ce qu'elle fout ? » songea Patricia qui observait son cirque de loin.

Clémentine sortit enfin de sa cachette en se frottant le front, son Bic quatre couleurs dans l'autre main.

— Voilà je l'ai, annonça-t-elle en se relevant.

Elle tomba sur deux yeux bleus magnifiques et curieux, un nez surplombé par deux rides d'expression, une bouche qui incitait à ce que l'on se penche sur son cas et un large front dominé par quelques mèches argentées. L'auteur lui adressa un sourire poli et Clémentine s'éclipsa rapidement. Elle arriva vers Patricia, les yeux encore fermés et la bouche grande ouverte :

— Il est *canonnissime* ! articula-t-elle.

— J'en étais sûre. Et son nom ?

— Heu, en fait je n'ai pas pu lire son nom…

— En général, les livres sont sur la table, pas dessous…

— Il fallait bien tenter une approche. Il m'a semblé que c'était des livres de voyage, avec des photos, tu vois le genre…

— Mon dieu, il se relève ! s'exclama Patricia en tirant Clémentine par la manche.

Le grand type semblait chercher quelque chose des yeux. La libraire s'approcha de lui et il lui murmura quelque chose à l'oreille. Patricia, à demi cachée par Clémentine ne pouvait plus décoller son regard :

— Il est sublime, lâcha-t-elle dans un souffle.

La libraire revint et lui tendit une petite bouteille d'eau. Le grand type lui sourit en la remerciant et se réinstalla à sa table sans remarquer qu'il était la proie de deux jeunes femmes hypnotisées. Comme elle connaissait sa nuque par cœur, Patricia décida de passer à l'action et d'en savoir plus. Elle se dirigea vers la libraire et fit mine d'engager une conversation-tue-l'ennui :

— Ça va ? Il fait chaud ou c'est moi ? Il y a du monde ! Mes auteurs ont l'air de vendre pas mal, sauf une, Marie, mais son livre est tellement lugubre. Étonnant que vous l'ayez invitée celle-là. Miss Glauque, on l'appelle, la petite comptable de la tristesse... Dites-moi, je peux vous poser une question ? C'est qui le super-beau mec juste derrière moi ?

— Avec le polo rouge ?

— Non, le polo rouge a une tronche de cul. Je vous parle du grand à côté, la veste noire...

— Ah, c'est un grand reporter, il est à *Paris Match*, je crois. Il a fait un livre formidable sur l'Afghanistan. Il y est resté des mois. Il s'appelle Antoine Avertin. Il a de beaux yeux, hein ?

— Oui et pas que ça ! Oh, la vache ! ç'a dû être une torture pour les pauvres filles là-bas derrière leurs burkas de voir débouler un type pareil ! Enfin, elles ne sont plus à une torture près, conclut Patricia en riant de bon cœur avec la libraire dont le badge sur le sein gauche indiquait qu'elle portait le doux prénom de Gisèle.

Son minimum d'informations requises, elle laissa la libraire à son travail et regagna sa place.

— Grand reporter, souffla-t-elle à l'oreille de Clémentine.

— M'étonne pas, répondit celle-ci.

— Bon, réfléchissons. Il faut absolument que je sois à sa table ce soir, au dîner des auteurs.

Le dîner des auteurs

Cent cinquante écrivains réunis dans la salle de réception de la mairie pour un cocktail avant dîner : champagne, petits-fours, brouhaha et discours d'un maire, ravi d'accueillir dans sa ville autant de sommités culturelles et intellectuelles, franchement, ça le changeait de ses fréquentations habituelles. Patricia rôdait, errait, cherchait de loin la crinière poivre et sel. Elle serra des mains à de jeunes éditeurs qui avaient fait le voyage, distribua des bises à d'autres écrivains et hurla de joie en découvrant Sébastien, un de ses collègues et amis. Les attachés de presse masculins ouvertement gays deviennent épileptiques de bonheur quand ils voient une copine. «Non, tu es là, toi aussi! Géniaaaaaal! Tu testes avec nous?» Drôle, sensible et assez décomplexé, Seb n'hésitait jamais, dans le car des auteurs, à embrasser son compagnon à pleine bouche, ce qui avait le don de choquer un peu les vieilles écrivaines de soixante-dix ans qui ont écrit des grandes sagas familiales que tout le monde a lues.

Patricia expliqua à Sébastien et à sa cour qu'elle était sur un dossier, un très beau mec repéré l'après-midi et qu'elle comptait bien se glisser discrètement à sa table, histoire d'en savoir plus.

RÈGLE N° 1 : on peut *tout* raconter aux gays de ce métier. Ils ont chacun quatorze meilleures amies filles dont ils connaissent les histoires sentimentales par cœur. De ce fait, ce sont eux qui ont toujours les meilleurs ragots à raconter.

— Ma chérie, il est où ton dossier? lui demanda Sébastien.

— Mais justement je le cherche, avoua Patricia, en balayant l'immense salle des yeux. Je devrais le voir pourtant, il dépasse tout le monde d'une tête… Ah ça y est!

La toison grise venait d'émerger de la foule.

— Là-bas! Devant le buffet. Veste noire, un verre à la main, il discute avec des gens.

— *Darling*, tout le monde a un verre à la main et discute avec des gens! constata Seb en observant la foule…

Patricia l'attira vers elle.

— Regarde! Là-bas, il prend un petit-four. Admire ce profil de statue grecque, pas mal, non?

— Ah d'accord! hurla Seb. Antoine Avertin!

RÈGLE N° 2 : les gays connaissent tout le monde.

— Mais ma pauvre, il n'est jamais là ! Il parcourt la planète dans tous les sens !

— Je m'en fous, il est bien là ce soir à Metz ? Eh bien, c'est tout ce qu'on lui demande, pour l'instant...

Les gens commençaient à circuler du buffet à l'immense salle où des tables rondes, toutes plus belles les unes que les autres, étaient dressées. Ce genre de table avec quatre verres par personnes, idem pour les couteaux et fourchettes, une superbe nappe, des fleurs spectaculaires. Problème de ces tables, elles étaient conçues pour huit personnes minimum. La drague, si drague il y avait, et Dieu sait si Patricia n'aimait pas ce mot, n'allait pas être discrète.

Le bel Antoine se dirigeait lui aussi, dans le grand salon, d'un pas nonchalant, toujours en grande conversation avec de vieilles connaissances. Il ne semblait absolument pas se douter que, depuis quelques heures, il était épié, suivi, traqué.

La femme peut être une chasseuse aussi. Envolées pour ce soir, les bonnes résolutions, les études de cessation de racolage affectif. Patricia avait le regard d'un guépard, planqué dans la brousse, observant un troupeau de gazelles qui se désaltèrent tranquillement avant de se faire sauter dessus... Elle laissa passer tout le monde et, mine de rien, emboîta le pas au troupeau de journalistes. Le grand reporter avait enlevé sa veste qu'il retenait d'un doigt sur son épaule. Quelle table allaient-ils choisir ? Qu'ils se dépêchent, pensa Patricia, il n'allait bientôt plus en rester une de libre. Un des copains du grand reporter désigna une table au fond de la grande salle. Elle était un peu excentrée mais ce n'était pas plus mal. Patricia, toujours en filature, les suivait. Au milieu, elle salua quelques personnes à la table du maire. À la droite du politique venait de s'installer Max Gallo.

Règle n° 3 : Max Gallo est toujours à la table du maire dans les salons du livre. Elle s'approcha un peu plus du petit groupe. C'était le moment décisif. Dès que le bel Antoine aurait choisi sa place, elle allait bondir sur la chaise voisine et... Trop tard! Le type avec qui il discutait venait de la prendre. Elle tenta l'autre côté, mais quelle ne fut pas sa surprise de voir Clémentine lui passer devant et prendre d'assaut le siège à gauche. Oh, la garce! Son pote à sa droite, Clémentine à sa gauche, il ne restait pour Patricia qu'une place en face, qu'elle prit d'autorité. Les cinq personnes qui entouraient Antoine furent un peu surprises de voir ces deux inconnues s'incruster avec une telle fougue et s'en amusèrent. Patricia n'était pas très contente. D'accord, elle était face à lui mais la table était grande. Pour la discussion intime et autre murmure à l'oreille, c'était loupé! En revanche, pour Clémentine, c'était parfait. D'ailleurs, à peine fut-elle assise que le grand reporter se tourna vers elle :

— On se connaît, non? C'est vous qui aviez perdu votre stylo cet après-midi?

— Oui, avoua-t-elle en rougissant.

«Quelle cruche», pensa Patricia. Et lui, quelle voix douce il avait. De quoi faire de la radio la nuit...

Le décolleté dans son assiette, Patricia ne voulait rien rater de leur échange de politesses, quitte à lire sur leurs lèvres, le brouhaha dans la grande salle lui gâchait le son par moments. En revanche, elle entendait assez bien ses voisins qui semblaient polémiquer depuis des heures. Et pour cause, il y avait là un avocat qui avait écrit un essai sur le trop grand pouvoir des juges et un ancien juge qui avait écrit un pamphlet contre les avocats, ces salopards de menteurs sans foi ni loi. Aucun ne semblait vouloir trouver un terrain d'entente. Le regard toujours bien droit, Patricia continuait d'observer sa collègue qui lui avait piqué sa place. D'ailleurs, celle-ci abaissa son oreille devant la bouche du grand reporter quand il lui adressa la parole. La garce elle commençait déjà à flirter en faisant exprès de la rendre jalouse.

— Antoine, cria-t-elle, vous pouvez me passer l'eau pétillante, s'il vous plaît?

Le journaliste stoppa net sa conversation et obéit, un peu étonné.

— Vous connaissez mon prénom ? dit-il en lui versant de la Badoit.

— J'ai lu votre livre, lâcha-t-elle dans un grand sourire complice.

En face, Clémentine écarquilla des yeux ronds. Quelle menteuse !

— Merci, c'est gentil, répondit le grand reporter, de plus en plus intrigué.

Contente d'avoir marqué un point, elle abandonna du regard le couple et se tourna vers l'avocat polémiste. Tout ce qu'elle connaissait de la justice se résumait à *Ally Mc Beal* et à *The Practice* sur Série Club ou Téva mais elle avait envie de mettre un terme à cette dispute.

— Ce qui est sympa dans les procès, c'est quand les avocats crient « Objection » en se levant, j'adore.

— On ne dit ça jamais en France, rétorqua l'avocat sèchement. Il y en a ras le bol des séries américaines !

— Mais alors, qu'est-ce que vous dites ? demanda Patricia, contrite.

Un avocat qui ne criait pas « objekcheune » à tout bout de champ, n'était pas un avocat sérieux.

— On dit : « Cette remarque n'a rien à voir avec l'affaire en cours. » On demande au greffier de ne pas la noter dans le dossier ou alors on dit rien, répondit l'énervé.

C'est vrai que c'était chiant.

— Le nombre d'accusés qui m'ont appelé : « Votre Honneur » est incalculable aussi, reprit le juge en riant.

Son voisin de droite, un journaliste d'investigation se mêla à cette amusante conversation.

— Je travaille pas mal avec les flics, expliqua-il, il paraît qu'on leur demande sans arrêt s'ils ont un mandat de perquisition pour rentrer quelque part. Les gens ne savent pas que ça n'existe pas en France.

— Effectivement, répondit le juge, moi seul suis habilité à délivrer une commission rogatoire. J'ai aussi remarqué que lorsque j'annonce la mise en examen et le placement en détention de quelqu'un, une fois sur cinq, il me demande à combien va s'élever sa caution, s'attendant très certainement à ce que je lui donne le montant en dollars...

— On est bouffés par la culture américaine ! lança Clémentine très philosophe.

— Et tu en sais quelque chose, répondit Patricia.

— Pourquoi ? demanda Clémentine, sur la défensive.

— Rappelle-toi ma vieille, il y a cinq ans quand tu t'es fait cambrioler et que tu as composé le 911 ! Le nine one one. On a ri au bureau avec cette histoire ! C'est sûr que les flics US seraient bien venus, le problème, c'est le temps qu'ils allaient mettre pour venir jusqu'à la rue Caulaincourt ! S'il y en a une qui a trop vu *New York Section Criminelle*, c'est bien toi ! Sinon tu as gardé le numéro du FBI au cas où tu te ferais piquer ton sac ?

Clémentine arracha un bout de pain et mastiqua la mie nerveusement en attendant que la tablée ait fini de rire bêtement. Elle n'aimait pas trop qu'on rigole de son cambriolage qui l'avait traumatisée. Après avoir dégluti, elle interpella sa collègue :

— Et dis-nous Patricia, il raconte quoi le bouquin d'Antoine ? Toi qui l'as lu avec tant d'attention.

La foire aux coups bas venait d'ouvrir. Attention au lancer de peaux de bananes. Il n'y a plus d'amitié qui tienne entre deux filles qui veulent le même homme pour *ce* soir.

— Et bien, commença Patricia d'une voix hésitante, c'est un livre sur ses nombreux reportages en Afghanistan... depuis la chute des Talibans jusqu'à maintenant. Il y a de très belles photos de Kaboul...

— C'est exact, confirma Antoine.

Cool, elle avait dit ça au pif, et c'était bon.

— C'est aussi sur la condition des femmes qui finalement n'a pas tellement changé (elle avait vu ça dans un reportage sur M6) parce qu'elles ont toujours aussi peur...

— Mais, ça a un peu évolué tout de même, la corrigea Antoine.

— Ben, ça ne pouvait pas être pire de toute façon ! Avant il fallait qu'elles demandent l'autorisation pour respirer ! Bref, ce que je voulais dire, c'est qu'elles se sentent obligées de garder leurs robes à grillage, encore aujourd'hui.

(Même reportage sur M6.)

— Uniquement à Kaboul, expliqua Antoine. Il y a des coins dans le pays où elles ne sont voilées que très légèrement...

Patricia broda encore quelques minutes sur cette horreur de pays, d'un point de vue législatif, autant que son inspiration le lui permettait. Comme tout était interdit, elle était sûre de ne pas se tromper... La dernière fois qu'elle avait brodé comme ça c'était au bac de français quand on l'avait interrogé sur *Le Lac* de Lamartine. Comme pour le bac, elle vit dans le regard d'Antoine qu'elle avait obtenu la moyenne. Il lui adressa un grand sourire en lui servant un verre de vin. Patricia fondait littéralement. De son plus joli regard de biche, elle lui promit que l'ambiance n'allait pas être islamiste ce soir après le dîner...

Un dernier verre à l'hôtel ?

Les vieux écrivains se couchent tôt. Les plus jeunes aiment boire un verre au bar de leur hôtel avant de monter dans leur chambre. Les alcooliques restent à table et refont le monde jusqu'à ce que les serveurs les chassent à coups de balai. Les gays sortent en ville. Ils savent où se trouvent les boîtes intéressantes, ils ont fait des recherches sur Internet. Les gays préparent bien leurs voyages...

La table de Patricia était plutôt du genre bar d'hôtel. Parfait. Patricia espérait que tous n'allaient pas s'incruster. L'avocat, par exemple, allait bien ressentir un petit coup de fatigue après s'être engueulé avec tout le monde... Patricia avait sa dose de ses éclats de voix, et puis il fallait isoler sa proie aussi. Il en est de la séduction rapide comme de la restauration rapide.

DANS LE MANUEL :

PHASE N° 1 : approche (présentation),

PHASE N° 2 : isolement (moment d'intimité),

PHASE N° 3 : déclaration de sa flamme, sans avoir oublié d'éclater de rire à chacune des blagues de la proie. Courage.

Ou ça passe ou ça casse. Oui ou non. La gifle ou le câlin. La gifle est le rejet féminin par excellence. Selon les statistiques, il est rare que, lorsqu'une fille dit à un homme qu'elle le trouve grand, beau, fort, intelligent et qu'elle a été électrisée en le voyant la première fois, il lui envoie un soufflet en s'écriant : « Je ne suis pas celui que vous croyez ! » Très rare. En général, le type s'étouffe un peu, il se peut qu'il rougisse, submergé par ces compliments inattendus, la flatterie lui envoie de gentils petits picotements qui partent de sa moelle épinière jusqu'à sa zone érogène. Ce qui est sûr, c'est que ce n'est jamais à ce moment-là qu'un homme a envie de frapper, contrairement au moment où on lui fait une queue de poisson à un carrefour...

Comment allait réagir Antoine ?

Les grands reporters sont connus pour avoir un sang-froid à toute épreuve. Ils vivent dans la guerre et la rapportent s'ils ont la chance d'être encore en vie. Ils ont connu des endroits où l'on fait plus gaffe à une crotte de chameau qu'à la vie d'un homme. Quelle est la place pour l'amour dans leur emploi du temps ? À quand le repos du guerrier ? Pour Patricia, c'était très simple, c'était maintenant ou jamais. Isoler Antoine et virer Clémentine. Voilà les deux choses qu'il lui restait à faire avec subtilité mais fermeté. Clémentine ne s'avouait pas vaincue malgré les battements de cils provocateurs de Patricia à l'égard du journaliste. À deux sur le même coup, là, c'était la guerre pour les filles.

— Tu vas te coucher ? demanda Patricia à sa collègue, alors qu'elle poussait la porte de l'hôtel.

C'était plus un ordre qu'un renseignement.

— Non et toi ?

— Non plus. J'ai bien envie de me taper un gin tonic avant de me taper le grand reporter !

— Moi aussi, approuva Clémentine.

« Cette fille n'a aucune personnalité, il faut toujours qu'elle me copie », pensa Patricia. Elle décida de jouer franc jeu :

— Laisse-le-moi.

— Pourquoi ?

— Parce que toi, tu as déjà un mec !

— Oui, mais il m'énerve en ce moment !

Clémentine vivait en concubinage depuis deux ans avec Damien, un geek, c'est-à-dire un fondu d'informatique, un accro du PC, un Net-addict. Problème de Damien : ces derniers temps, il considérait Clémentine comme un meuble. Il ne disait jamais bonjour, au revoir, merci ma chérie. Le manque de respect dans un couple est la deuxième cause de divorce en France (la première n'étant pas le mariage, comme disait Cocteau, mais l'alcoolisme). Pas encore mariée, Clémentine avait déjà envie de divorcer. Damien ne pensait qu'à son boulot d'informaticien, se croyait tout droit sorti de la cuisse de Bill Gates et avait refusé de l'accompagner à la gare ce matin. Il était temps de cocufier ce goujat, ça lui ferait les pieds…

Dans le bar de l'hôtel, beaucoup d'écrivains avaient eu la même idée que Patricia. L'endroit était plein, il ne restait plus qu'un petit coin assez intime au fond. Patricia ordonna à Antoine de s'asseoir là. Elle s'empara du fauteuil en velours rouge à sa droite et s'assit.

Elle avait été la plus rapide ce coup-ci. Clémentine prit celui d'en face et les autres abdiquèrent devant le manque de place et préférèrent aller se coucher. Ce n'est qu'à ce moment-là qu'Antoine réalisa qu'il était ferré entre ces deux filles. Qu'est-ce qu'elles lui voulaient ces deux nanas ? Ces deux brunes, l'une : Patricia l'aguicheuse, cheveux longs relevés, yeux noirs, sourire enjôleur, débit de paroles assez rapide, l'autre : Clémentine la suiveuse, cheveux courts, taches de rousseur, décolleté moins intéressant que sa copine mais le même genre de regard pétillant. Ces prunelles qui criaient : inutile de nous l'emballer, c'est pour consommer tout de suite. Antoine sentit une grande timidité l'envahir tout à coup et une légère angoisse. Il était plus à l'aise la semaine dernière en plein milieu de la guérilla urbaine au Sri Lanka !

— Je n'ai plus de cigarettes, constata Patricia en froissant son paquet sur la table.

— Va en acheter, suggéra Clémentine.

— Ils n'en vendent pas au bar, j'ai déjà demandé, figure-toi. Allez va en chercher, je sais que tu as une cartouche dans ta chambre. Je te rembourserai le paquet, s'il y a que ça pour…

— Tu fais vraiment ch…, déclara Clémentine en se levant.

Elle se dirigea vers les ascenseurs, les laissant en tête à tête à contrecœur.

— Ouf, j'ai cru qu'on ne s'en débarrasserait jamais, lança Patricia à Antoine.

Elle commanda son gin tonic, pas mécontente. Antoine prit un autre verre de vin rouge.

— Tu ne l'as pas lu mon livre, dit-il après que le serveur eut amené leurs commandes, tu m'as bien fait rire au dîner mais tu ne l'as pas lu !

— Mais si, dit-elle en tournant la paille dans son verre.

— En réalité, mon livre porte sur les chefs de guerre afghans qui se sont reconvertis dans la culture du pavot et le trafic de drogue. Les femmes, j'en parle, mais assez peu en fait... Et les photos, elles sont essentiellement sur la région des lacs, un endroit magnifique, là où il y avait les bouddhas avant...

— Bon, tu ne vas pas nous emmerder avec ton album photo! rétorqua Patricia, vexée.

Elle réalisa qu'il avait attendu d'être seul pour lui dire ça et qu'il était tout de même très gentleman en plus d'être beau comme un Dieu. Sa réflexion de l'après-midi avec la libraire lui revint à l'esprit :

— Elles ont dû halluciner les femmes là-bas en te voyant. T'as pas le look local. Elles t'ont parlé?

— Oui, elles l'ont fait, répondit-il, mystérieux.

Apparemment, il n'avait pas envie d'en dire plus. Que s'était-il passé? Patricia imagina plein de choses, puis elle laissa ses images orientales de côté. L'autre petit boulet n'allait pas tarder à revenir avec les clopes, il fallait prendre de l'avance :

— J'ai envie de vous embrasser, dit-elle sans bouger, la paille du gin tonic toujours dans la bouche.

Il étouffa un petit rire sans bouger non plus. À vrai dire, il s'attendait à un truc dans le genre, peut-être pas aussi franc mais...

— Pourquoi ce retour au vouvoiement? demanda-t-il, toujours au fond de son fauteuil.

Patricia laissa passer un petit silence. La scène devenait glamour et lui plaisait beaucoup.

— Je trouve très joli d'employer le vouvoiement pour dire à un homme qu'on a envie de l'embrasser...

Et oui, il fallait absolument repasser dans le clan des Arielle Dombasle après les Virginie Despentes, c'était tout de même meilleur pour le moral et la confiance en soi. Nouveau silence. « Ça passe ou ça casse, mais c'est maintenant en tout cas », songea Patricia, tandis que les yeux turquoise du journaliste la scrutaient. Résistance ou pas ? « Pitié pas de nouveau râteau, j'en supporterai pas deux à la suite », pensa Patricia tandis que le visage d'Éric

Hermann sortait de son tiroir cérébral. Elle avait eu le courage de faire le premier pas. Il pouvait remercier monsieur Gin-tonic, un bon allié dans la communication.

Le grand reporter semblait réfléchir, souriant en même temps. Les hormones devaient encore être à la lutte avec les neurones mais la testostérone n'était pas inquiète, elle savait qu'elle gagnait neuf fois sur dix dans ces cas-là. Il suffisait qu'elle se diffuse dans le cerveau pour anéantir la raison comme on écrase une blatte. Antoine cessa de faire tournoyer son verre, approcha son fauteuil et pencha son visage vers le sien. En un clin d'œil, Patricia abandonna sa paille et plaqua ses lèvres contre les siennes. Ils s'embrassèrent comme des amoureux qui se retrouvent sur une plage après avoir couru l'un vers l'autre, au coucher de soleil. Ah, tout de même ! Enfin ! Bon retour dans le marché de la bonne meuf Patricia ! Bien sûr que tu es belle et désirable. L'autre tache à best-sellers devait avoir un herpès génital.

Ce baiser fut féerique, irréel et émouvant comme dans un film. Intense et long aussi. À tel point que les têtes d'écrivains présents dans le bar commençaient à se retourner. N'était-ce pas Antoine Avertin là-bas ? En train de rouler une énorme pelle à Patricia Sandrich des Éditions du Volcan ? Certains spectateurs rangèrent l'info dans le tiroir : potin tout neuf pour demain matin dans la salle du petit déjeuner…

Clémentine sortit de l'ascenseur. Elle avait dévasté sa chambre pour trouver sa cartouche avant de réaliser qu'elle l'avait laissée dans sa valise. Quand elle arriva au bar, elle remarqua tout de suite que le brouhaha était moins dense, les gens chuchotaient et presque toutes les têtes étaient tournées vers sa table où… Non ! Déjà ? Elle n'avait pas perdu de temps, la garce. Ces deux-là s'embrassaient à pleine bouche et, apparemment, ils avaient dans l'idée de battre le record de Steve McQueen et Faye Dunaway dans *L'Affaire Thomas Crown*. Stupéfiée par la rapidité de sa copine, Clémentine n'osa avancer. Que faire ? Elle n'allait pas revenir s'installer à la table, elle aurait l'air bête. Elle avait rapporté des cigarettes pas une chandelle. S'avouant vaincue, elle tourna les talons et remonta dans l'ascenseur, furieuse...

Tous les hommes ne sont pas des coureurs. On aurait même tendance à penser qu'ils le sont de moins en moins. Notre époque aime à gratifier la fidélité, voire l'abstinence, pour ceux qui se démerdent vraiment mal, genre les « vaginophobes ». Certains hommes ne se lassent pas de raconter qu'ils se sentent désorientés par les femmes, qu'elles leur font peur, qu'elles sont castratrices, qu'elles n'ont plus besoin d'eux, etc. C'est un juste retour des choses, cher à Benoîte Groult et aux magazines féminins. L'histoire était différente pour Antoine, le Pierce Brosnan des grands reporters. D'abord, ces allers-retours en Afghanistan lui avaient mis les hormones au plafond, ensuite cette fille lui plaisait, sa rapidité l'amusait, sa franchise l'enchantait. Cette jeune femme devait être rapide en tout. Ce genre de fille qui bosse ultra vite sait prendre des décisions, fait des résumés de réunions hyper synthétisés. Génération zapping, McDo, Post-it et texto. Tout devait être vite fait, bien fait. Antoine voulait bien se laisser séduire, maintenant que sa collègue était partie. De toute façon, qu'avait-il de mieux à faire ? Ici et maintenant à Metz ? À quarante-huit ans, ce n'était pas la première fille qu'il allait baiser un soir comme ça, il n'avait pas non plus le look du grand nigaud à nœud papillon qui sort de Saint-Nicolas-du-Chardonnay...

Après un autre gin tonic, quelques phrases, blagues et baisers échangés, ils s'évitèrent le grotesque : « Ta chambre ou la mienne ? » Antoine sortit du bar, son bras sur les épaules de Patricia. Ils avaient déjà l'air complices et amoureux. C'est en tout cas comme ça que Patricia voyait les choses. Elle et son éternel romantisme, son éternel optimisme ! Ils étaient au même étage, Patricia le suivit docilement jusqu'à la 312, constatant avec satisfaction, que sa chambre à elle n'était qu'à quelques pas…

À peine entré, Antoine jeta sa veste sur son bureau et s'écroula sur son lit. Patricia ferma la porte, remonta sa jupe et l'enjamba. Elle l'embrassa tout en déboutonnant sa chemise. Il avait sur le torse des poils d'une couleur identique à ses cheveux. Elle y déposa de légers baisers avant de s'attaquer à sa ceinture mais subitement Antoine la retourna et, allongé sur elle, il enferma ses deux mains dans la sienne au-dessus de sa tête pour lui murmurer à l'oreille :

— Tu veux que je te baise ?

Au secours. Avait-il vraiment besoin d'une confirmation ? Prisonnière sous son corps, ses jambes repliées autour de sa taille, fallait-il lui signer un papier ?

— Mmmh, acquiesça-t-elle en l'embrassant.

— Dis-le-moi.

Hou là ! Oui au coup de foudre, au romanesque, à la suggestion, mais non à l'étrangeté crue de ce que les hommes ont besoin d'entendre pour s'exciter. Toujours plus.

— Pourquoi ? Tu veux faire autre chose ?

— Dis-le-moi, insista-t-il.

Pudiquement et maladroitement, Patricia obéit. S'il fallait en passer par là… « Baise-moi », chuchotat-t-elle. Oh zut, voilà qu'elle retournait chez la Despentes, mais cet ordre ou supplique eut les résultats escomptés. Il s'empara d'un préservatif qu'il sortit de dieu sait où et la pénétra, débraillé et sans autre préliminaire.

Toujours en elle, il l'aida à quitter son décolleté-piège-à-grand-reporter et Patricia enlaça sa nuque de ses deux bras :

— Je vibre…, murmura-t-il à son oreille.

— Moi aussi, je vibre pour toi, mon amour, répondit-elle.

— Oui mais moi, c'est mon portable, dit-il en se redressant.

Il s'empara de son téléphone dans la poche de son pantalon et y jeta un œil :

— Je suis obligé de prendre, s'excusa-t-il en lui caressant le sein gauche du bout du doigt.

Il se leva et se dirigea vers la salle de bains.

«Je vibre pour toi mon amour??? Ce n'est pas possible, je n'ai pas dit ça!» lâcha-t-elle, une fois seule, en prenant un oreiller pour se taper dessus. «Non, je n'ai pas dit ça! Mais pourquoi j'ai dit ça? J'en ai marre d'être folle!» Il fallait de toute urgence mettre au point des études de cessation de «racontage» de conneries. Les mettre à la suite des études de cessation de racolage affectif restées collées sur le frigo à Paris. Elle en profita néanmoins pour finir de se déshabiller et se glissa dans les draps. Il réapparut deux minutes plus tard, torse nu, le jean ouvert sur un Calvin Klein noir et se laissa admirer à la lueur des lumières de chevet. Bien sûr qu'elle vibrait pour lui et plus que ça encore! Elle brûlait surtout d'envie de lui demander qui l'appelait à cette heure-ci, mais réalisant qu'elle ne connaissait rien de sa vie, elle s'abstint pour une fois. Il enleva son jean et se glissa à ses côtés.

À l'autre bout du couloir, Clémentine toute seule dans sa chambre, fumait ses cigarettes devant le film porno de Canal plus. Elle n'était pas mécontente d'avoir abandonné la partie sur le bel Antoine. Le sexe l'écœurait, finalement. Elle se demanda si Patricia était en train de subir les mêmes assauts que la fille dans le film et zappa sur le talk-show de France 2.

Chambre 312, c'était beaucoup plus tendre, plus missionnaire et plus relaxant pour Patricia. Si monsieur Zéro Préliminaires était parti sur les chapeaux de roues, cela s'était langoureusement bien arrangé par la suite. Le missionnaire c'est le vintage de l'amour. Un classique. Une composante charnelle qui plaît aussi bien aux vieux qu'aux jeunes, à tous ceux qui ont appris l'amour ailleurs que dans la vidéothèque Marc Dorcel et qui veulent que ça se sache...

« Il ne faut pas que je tombe amoureuse, pensa Patricia, ça va être encore la galère ! » Pour célébrer ses retrouvailles avec le sexe, elle sortit nue du lit, se dirigea vers le mini-bar et s'empara de la demi-bouteille de champagne qu'elle emporta dans le lit sous le regard amusé ou étonné, nul n'aurait su le dire, de son nouvel amant. Elle but la bouteille au goulot, sous le regard très surpris (là, pas de doute) de son sublime nouveau jules et lui posa quantité de questions sur son dangereux métier. Il y répondit avec le plus grand sérieux comme s'il était interviewé chez Yves Calvi, lui parla de la guerre dans tous les coins du monde et lui refit l'amour...

Le Lendemain

« Ne pas tomber amoureuse ». Votre mission si vous l'acceptez.

Patricia se réveilla sur le coup de onze heures, elle avait fait une demi-nuit dans la chambre d'Antoine et le reste dans la sienne. Le grand reporter l'avait « virée » à sept heures du matin pour aller faire un jogging. Patricia s'était demandé pourquoi elle ne pouvait pas rester mais, la tête dans le goudron, elle avait ramassé ses affaires et avait rejoint sa chambre. Un jogging ? À Metz ? Encore un Mister Perfection.

Elle débarqua sous les grandes tentes du salon vers midi, un gobelet de café à la main. En ce dimanche matin, beaucoup de lecteurs arpentaient les passages, flânant devant les livres, les retournant pour lire le résumé, les reposant le plus souvent devant l'auteur. Patricia chercha son stand et recon-

60

nut de loin la libraire et son mari qui s'affairaient derrières les tables de dédicaces. Patricia passa derrière les tréteaux et salua tout le monde en posant son sac. Antoine était déjà là. Comme la veille, elle voyait de dos ses cheveux argentés, le col d'une chemise turquoise qui dépassait d'une veste noire. Craquant, mais elle décida de ne pas bouger. C'était à lui de venir lui dire bonjour. Ses auteurs étaient présents, à l'exception de Marie (Miss Glauque), la fille qui n'avait rien vendu la veille et qui était partie faire la gueule et du shopping dans les rues de la ville. Patricia décida de prendre sa place et ouvrit son agenda pour consulter sa semaine. Elle repoussa la pile de livres de Miss Glauque, non sans avoir encore levé les yeux au ciel en redécouvrant le titre : *Les enfants morts du marais*. Non seulement les gens ne l'achetaient pas mais ils faisaient un bond en arrière en lisant la couverture. Une fois de plus, elle se demanda pourquoi son patron avait accepté ce titre... À ses côtés, une écrivaine brune d'environ quarante-cinq ans au visage aristocratique lui adressa un petit sourire. Patricia lorgna vers les piles de livres de la nouvelle venue : une biographie de Marie-Antoinette, un beau livre sur les jardins de Versailles et lui rendit son petit sourire. Elle se plongea dans son agenda et nota les gens à rappeler. Cinq minutes plus tard, une tape dans le dos la sortit de ses observations hebdomadaires :

— Alors, alors, alors ? s'écria Clémentine, en posant son sac.

— Top, top, top, répondit-elle, modeste.

— Je t'ai vue l'embrasser, je ne suis pas revenue.

— Tu as bien fait...

Clémentine s'accroupit, une main sur le dossier de la chaise.

— Raconte...

— Oh, ça me gêne, Clem. Nos mères n'ont pas vécu trente années de féminisme pour qu'on devienne aussi vulgaires que les hommes et qu'on se vante de nos exploits sexuels! Néanmoins je dois avouer que c'était génial. Deux fois, susurra-t-elle…

— À la suite? demanda Clémentine, les yeux écarquillés.

— Oui. Bon, on a pas mal parlé entre les deux tout de même…

— Il est là?

— Là-bas, je n'ai pas encore été le voir. Je crois que je l'adore, c'est horrible à dire mais…

— Non, c'est vachement bien! protesta Clémentine, bonne copine subitement…

— Un coup de cœur? s'enquit leur voisine.

La biographe de Marie-Antoinette n'avait pas perdu une miette de la conversation.

— Oui, un coup de foudre hier soir, expliqua Patricia, un grand reporter, là-bas…

— Racontez-moi, je viens juste d'arriver et je ne suis pas vraiment dans l'ambiance. C'est lequel? demanda l'historienne, complice et désireuse de se mêler à cette conversation de filles.

Patricia lui désigna l'élu de son cœur:

— On le voit de profil, cheveux gris, la chemise turquoise, là-bas, ses yeux ont exactement la même couleur. Je ne pouvais pas mieux tomber, c'est le canon du salon!

— C'est vrai, approuva Clémentine.

— Et encore, vous ne l'avez pas vu debout, confia Patricia en mettant sa main sur l'avant-bras de la charmante femme, mais il est gaulé, c'est une tuerie…

L'historienne replaça une mèche de cheveux derrière son oreille et lui tendit l'autre main.

— Bonjour, Françoise de Lysières. Je suis sa femme…

Patricia ôta sa main de son avant-bras. La complicité ne s'imposait plus. Le brouhaha du salon semblait s'étouffer dans son cerveau. Elle avait l'image mais plus le son. Quant à l'image: les badauds qui défilaient, à la recherche *du* livre qui allait les interpeller au niveau du vécu, semblaient au ralenti. Accroupie derrière la chaise, Clémentine s'était relevée brusquement pour effectuer deux pas en arrière et éructer une sorte de glurps avec sa gorge. En s'écartant, elle affirmait sa désapprobation du comportement immoral de sa collègue. Non, elle ne cautionnait pas. Non, elle n'était pas complice du cocufiage de cette historienne au look très Ségolène Royal, au demeurant si sympathique et distinguée. Patricia, quant à elle, tentait juste de calmer son rythme cardiaque. Une femme ? Il avait donc une femme ? Dire que ça ne lui était même pas venu à l'esprit, mais où donc se croyait-elle ? À la foire aux célibataires ?

— Quand vous dites sa femme, c'est mariés-mariés ? demanda-t-elle, le souffle coupé.

— Tout ce qu'il y a de plus mariés ! Ça fait dix-sept ans. On a deux enfants, déclara l'épouse, glaciale. Si vous voulez tout savoir, j'ai un fils de dix-sept ans et une petite fille de onze ans qui pique des crises dès que son père part au bout du monde. Elle s'accroche à ses vêtements en pleurant et refuse de le laisser partir… Je ne peux pas dire que notre couple allait très fort ces derniers temps mais alors là, c'est le pompon…

Elle avait débité tout ça d'une traite sans adresser le moindre regard à sa nouvelle rivale.

— Je ne devais pas venir ce week-end, continuat-elle, j'avais une conférence hier et je voulais prendre ce dimanche pour me reposer, c'est lui qui a insisté. Dire que j'ai pris le train aux aurores ce matin… Si j'avais su…

Une des passantes s'arrêta devant les livres de l'historienne :

— Bonjour, c'est de cette biographie dont est tiré le film de Sofia Coppola *Marie-Antoinette* ?

— Absolument pas, répondit Françoise, sévère, c'est le livre d'Antonia Fraser dont vous parlez.

— Elle est là ?

— Je n'en sais rien et je m'en fous…

La femme fit un pas sur le côté, vexée.

— Il faut savoir accepter la concurrence, vieille bique, murmura-t-elle en tournant les talons.

Cette phrase tombait assez mal. Patricia sentit l'historienne se concentrer sur un éventuel dernier cours de taï ji quan. (Détendez vos muscles, apaisez votre mental.)

— Je suis vraiment désolée, tenta Patricia…

— Ne vous fatiguez pas.

Elle aurait bien aimé se fatiguer pourtant, réparer cette bourde, apaiser la honte extrême qu'elle ressentait, une fois de plus, mais que pouvait-elle dire? Existait-il des mots antidépresseurs, bons pour la tension artérielle? Après tout, il y a bien du beurre bon pour le cholestérol!

— Vous savez ce n'est pas lui… c'est surtout moi qui l'ai…

— Taisez-vous.

Après un long silence, peut-être un des plus embarrassants dans l'histoire du silence, l'historienne, imperturbable et droite, s'empara d'un des livres devant Patricia.

— Et vous, vous êtes écrivain? C'est vous qui avez écrit ça?

— Non, C'est un de mes auteurs mais elle n'est pas là. J'ai pris sa place en attendant. Je suis attachée de presse.

— Quelle horreur! dit Françoise en reposant le livre.

Était-ce pour le titre du livre ou pour le métier de Patricia?

Elle avait besoin d'air. Sa légère gueule de bois, mêlée à la gaffe et l'antipathie de cette femme lui provoquèrent une bouffée d'angoisse qui lui serra l'estomac. Elle referma son agenda. Mardi à midi, elle avait une french manucure et vraiment hâte d'y être. Mardi, cette situation épouvantable serait loin derrière elle. Mardi, elle serait face à Monique, sa manucure, avec qui elle aurait une discussion apaisante sur tous les gosses cachés d'Albert II pendant qu'elle lui mettrait du vernis sur une main et qu'elle tournerait les pages du *Gala* de l'autre... Vivement mardi.

Patricia se leva et laissa la femme bafouée à ses pensées meurtrières. Derrière le stand, la libraire s'affairait et ôtait le plastique entourant les piles de livres. Patricia prit un tabouret. En refaisant le film de sa soirée, elle tenta de déceler les indices qui auraient dû lui mettre la puce : le coup de fil tard hier soir, le réveil tôt ce matin pour qu'elle retourne dans sa chambre. Tu parles d'un jogging. Il avait juste dû faire un peu de ménage, enlever les cheveux longs et noirs de l'oreiller, vérifier qu'aucune barrette ou boucle d'oreille n'avait été oubliée dans la chambre avant l'arrivée de maman...

— Je viens de faire une de ces bourdes, confia Patricia à la libraire.

— Je sais. Clémentine m'a raconté. Pas très malin...

Où était-elle, Clémentine ? Patricia se leva et partit à sa recherche. Elle avait besoin d'un peu de réconfort. Elle passa devant le stand de Jean-François Kahn, toujours debout à faire son show devant des couples de bobos ou d'intellos un peu gauchos qui hochaient la tête en l'écoutant. Non seulement les hommes prenaient son livre mais les femmes achetaient le *Marianne* au premier kiosque en sortant, c'était tout bénef pour lui... Patricia erra un peu et avisa à quelques mètres sa bande de copains gays.

— Darling ! s'écria Seb. Comment ça va ?

— Moyen, dit-elle en l'embrassant, je viens de faire une de ces gaffes...

— On est au courant, chouchou...

— Déjà ?

— Ben oui, Clem nous a raconté. Lucas est parti le raconter à Pascal Sevran, il est là-bas. Tu sais question boulettes, il s'y connaît...

— Seb, si vous pouviez éviter de raconter ça à tout le monde, ça m'arrangerait...

— Un peu tard, ton histoire est en train de faire le tour comme la ola à Roland-Garros ! Tiens revoilà Lucas…

Le compagnon de Sébastien fit tournoyer Patricia dans ses bras et lui claqua une bise sur la joue, hilare :

— Félicitations ! Elle est excellente celle-là ! Je pense qu'elle va nous faire la semaine…

— Arrêtez ! J'ai tellement honte…

— Quand je pense, s'exclama-t-il, que la première personne à qui tu racontes que tu t'es tapé ce mec, c'est à sa femme ! Non franchement, ce n'est pas la semaine qu'elle va nous faire, c'est tout le mois !

— Arrêtez ! supplia Patricia. J'en suis malade. Vous saviez qu'il était marié ?

— Avec la prof d'histoire ? demanda Sébastien. Moi, je le savais mais je ne pensais pas qu'elle était invitée ici…

— Il est grand reporter, reprit Lucas, ce n'est pas la première fois qu'ils doivent avoir ce genre d'embrouilles ! Il doit la tromper de temps en temps mais pas méchamment…

— Mais oui, renchérit Sébastien, ce n'est pas parce qu'on a un beau tableau à la maison qu'on ne va plus au musée !

Patricia retourna à son stand. Clémentine restait introuvable et elle devait s'occuper de ses auteurs. Elle croisa à nouveau le regard méprisant de l'historienne. Apparemment, elle n'avait pas bougé de sa place. La future divorcée n'avait pas encore informé son mari de cette confidence inattendue. Et lui, comment allait-il réagir quand il saurait que son petit coup d'un soir s'en est vanté auprès de sa légitime ? C'est surtout ça qui angoissait Patricia. Elle s'installa à son tabouret, derrière les auteurs, discrète et hors du champ de vision de l'historienne. Néanmoins, Patricia l'avait à l'œil, si jamais elle la voyait se lever et se diriger vers son mari, miss Cata aurait le temps de prendre ses jambes à son cou.

Après des mois d'une relation platonique et frustrée, voilà qu'elle s'était jetée sur le premier canon venu et c'était encore un désastre. Ça ne marcherait donc jamais? Quand allait-elle vivre un véritable amour, quelque chose de passionnant comme dans un livre de Philippe Djian? D'ailleurs était-il présent Philippe Djian à cette foire du livre? Si elle le trouvait, elle pourrait peut-être lui demander quelques conseils? À quel moment Betty comprend-elle qu'elle ne pourra plus jamais vivre sans Zorg? Comment naît une passion? Mais ce genre d'amour n'était pas fait pour Patricia. Pas cette année en tout cas. Éric H., par exemple, était le contraire de Zorg, pourtant écrivain lui aussi dans *37°2 le matin*. Éric H. n'avait jamais ramé pour être publié. Il était sûr de lui, charmeur et séducteur sans y toucher. Philippe Djian n'aurait jamais fait son héros d'un tel personnage. Il ne se serait jamais attaché à une Betty, trop hystérique, trop tarée. Elle se tenait trop mal en public pour l'hyperglam Éric.

Ça suffit, retourne dans ton tiroir à oubliettes, séducteur sans suite...

Et Antoine? Le grand et beau reporter semblait avoir plein de qualités humaines intéressantes, en dehors du fait qu'il avait omis de signaler son mariage.

— Ma vie sentimentale est un désastre, déclarat-elle à la libraire qui s'affairait devant elle.

— Si ça peut vous rassurer la mienne aussi, soupira la libraire.

Son mari, qui n'était qu'à quelques pas, tourna la tête brusquement :

— Pourquoi tu dis ça, Gisèle? On est mariés depuis trente et un ans!

— Justement...

La libraire repartit, suivie de près par son mari qui la sommait de s'expliquer sur-le-champ. Décidément, ce matin dès qu'elle l'ouvrait s'ensuivait une déferlante de cataclysmes. Patricia laissa le couple à ses problèmes conjugaux et détourna la tête. L'historienne avait disparu. Oh non !

Patricia la récupéra dans son champ de vision quelques mètres plus loin, penchée au-dessus de son mari, les mains sur ses épaules, sa bouche à deux centimètres de son oreille. Était-elle en train de lui raconter ? Très certainement. Aïe, aïe, aïe. Il était peut-être temps de piquer un sprint avant que le grand reporter ne se lève pour lui mettre une tarte dans la gueule devant tout le monde.

Patricia se leva de son tabouret, quitta lâchement son stand et accéléra le pas jusqu'à la sortie du salon. En amour, une seule solution, la fuite. La meilleure chose à faire était d'aller se planquer à l'hôtel. Après s'être perdue dans la ville en voulant aller trop vite, Patricia finit par retrouver l'hôtel et s'installa au bar. Elle commanda un verre de chardonnay comme dans les romans de Mary Higgins Clark où les héroïnes boivent toujours ce petit vin français, emmitouflées dans des peignoirs, pour réfléchir. Elle n'était pas poursuivie par un tueur mais par une femme trompée et un grand reporter sûrement très mécontent de la tournure des événements. Elle appela Clémentine sur son portable :

— Tu es où ? s'écria sa collègue en décrochant.

— Et toi ? Je t'ai cherchée partout.

— Je suis au salon.

— Après avoir raconté ma supra-gaffe à tout le monde !

— Je ne vois pas du tout de quoi tu parles.

— Bon, moi je suis à l'hôtel, je reste planquée. Madame est allée voir son mari, elle lui a sûrement tout raconté. Elle me glace le sang, cette bonne femme ! Tu les vois, là ?

— Oui, ils discutent.

— Encore ? Il n'y a pas d'esclandre ?

— Non, ils sont tranquilles.

— C'est mauvais signe. Elle n'est pas énervée ?

— Non. Lui non plus.

— Bizarre. Ça m'inquiète encore plus.

— Tu viens ?

— Surtout pas.

— On est supposées emmener les auteurs déjeuner maintenant.

— Emmène-les toi. Moi, je vais me taper un club-sandwich au bar de l'hôtel. Tu crois que je peux le faire passer en note de frais ? Clem, tu penses bien que je n'ai aucune envie de les croiser ni l'un ni l'autre…

— T'es un peu lâche sur ce coup-là, je trouve…

— Imagine que je prenne une beigne devant tout le monde ! Imagine que cette histoire fasse un raffut de tous les diables et que cela revienne aux oreilles du patron !

— Personne ne va te gifler, Patricia ! C'est gens-là ne sont pas des sanguins. Ils sont trop chics, plutôt le genre à fomenter une bonne vengeance à tête reposée.

— Arrête ! C'est encore pire ! Tu m'angoisses carrément, là. Je vais rester cachée ici jusqu'à notre départ en priant pour qu'ils ne me voient pas tout à l'heure sur le quai de la gare ou…

— Tu as peur qu'elle te pousse ?

— Ou dans le train. Je ne me sentirai en sécurité qu'une fois arrivée chez moi, ce soir. Non mais, quelle guigne ! J'ai la poisse en ce moment… Je ne sais pas ce qu'il m'arrive. Bon à plus.

Clémentine raccrocha. La poisse en ce moment ? Mais elle l'avait toujours eue la pauvre chérie. Au bureau, tout le monde l'appelait : S.G. : *Serial Gaffeuse*. La fille à emmerdes, à éviter absolument. Clémentine avait enregistré son numéro sous le nom de « Calamité » dans ses contacts. Elle adorait voir ce mot s'afficher sur son téléphone quand Patricia appelait. Une sacrée calamité, celle à qui un grand couturier avait prêté une robe haute couture pour un mariage princier avec reportage dans *Point de vue* et qui avait fini couchée ivre morte dans les fils barbelés du pré où se déroulait le déjeuner. Deux ans pour rembourser la robe, mais elle l'avait gardée, elle possédait une robe haute couture dans ses placards, bon il fallait juste recoudre tout le devant qui tombait en lambeaux, mais c'est tout…

Au bar de l'hôtel, Patricia calcula combien lui coûterait un taxi de Metz pour rentrer à Paris, elle en discuta d'ailleurs avec le barman qui lui conseilla d'acheter carrément une voiture.

Antoine Avertin s'en alla déjeuner avec sa légitime pour une séance d'explications houleuses, de celles que tous les hommes haïssent, mais il n'avait pas le choix. Il fallait expliquer sans détailler et s'excuser avec sincérité. Il s'installa face à une femme meurtrie, glaciale, dure, fermée, engoncée dans sa dignité d'agrégée d'histoire – sa fierté d'épouse bêtement poignardée par une attachée de presse.

— Je te signale que tu m'avais dit que tu ne viendrais pas, commença Antoine.

— C'est vrai que c'est une bonne raison, répondit-elle.

— Ce n'est pas ce que je voulais dire… Pour moi hier soir, j'étais tout seul et…

— *Et ???* Je t'en prie continue…

— Et… Elle était là, et… voilà quoi…

Ce n'était pas terrible comme explication. Le journaliste, habituellement si disert, avait bien du mal à aligner ses mots. Le regard de sa femme lui faisait penser à ces Kalachnikov qu'on avait pointées sur sa tête à Abidjan, trois mois auparavant.

— En tout cas, elle avait l'air ravie de sa soirée, commenta l'épouse meurtrie. Elle a dit à sa copine que tu l'avais baisée deux fois de suite…

Antoine se plongea dans le menu. No comment.

— Deux fois de suite, reprit sa femme, l'œil faussement extasié. La dernière fois qu'on a fait l'amour deux fois de suite remonte à mon diplôme…

— Arrête Françoise. Écoute, c'est toi que j'aime…

— Mmm, ça ne saute pas aux yeux !

— Tu ne crois tout de même pas que je vais mettre mon couple et ma famille en danger pour cette fille !

— Ton couple est sérieusement en danger, Antoine… Tu es bon comédien, tu sais. Hier soir quand je t'ai eu au téléphone, je n'aurais jamais imaginé que tu venais de coucher avec une fille.

— Je ne l'avais pas encore fait.

— Tu veux dire que tu l'as fait après qu'on s'est parlé ? articula l'historienne, stupéfiée.

— En fait, j'étais en train… Bon arrête, Françoise. Voilà le serveur, tu prends une entrée ?

Au bar de l'hôtel, Patricia sentait s'estomper ses angoisses au fur et à mesure que s'alignaient les verres de chardonnay. Après tout *tant pis*. C'était son expression favorite : *tant pis*. Que pouvait-on dire d'autre ? Tant pis, elle n'allait pas se rouler par terre. (N'est pas Adjani qui veut !) Tant pis pour son coup de foudre. Tant pis pour la femme de son coup de foudre. Tant pis pour leur mariage, de toute façon, ça n'allait pas fort, c'est elle-même qui l'avait dit. Tant pis et puis merde…

À quelques tablées d'Antoine et de Françoise, Clémentine déjeunait avec ses six auteurs, y compris miss Glauque qui était revenue après avoir arpenté le marché de Metz dans tous les sens pour y acheter un sac marron qui allait assez bien, finalement, avec le reste de ses guenilles. Clémentine s'en donna à cœur joie pour narrer par le menu la chasse au grand reporter de la veille et la gaffe de Patricia ce matin. Tous les auteurs éclatèrent de rire à l'exception de miss Glauque qui jugea tout ça scandaleux et décréta que Patricia n'était qu'une bonne à rien et qu'en plus, elle était nulle comme attachée de presse. Elle ne lui avait pas dégoté un seul article, pas même dans un journal gratuit. Après avoir bien fracassé l'ambiance, elle repoussa son assiette et s'emmura dans un silence anorexique. Clémentine avait bien envie de lui rétorquer que tout ça était un peu de sa faute. Si elle était venue dédicacer ses livres ce matin comme tout le monde au lieu d'aller se balader, Patricia n'aurait jamais pris sa place et sa nouvelle voisine ne se serait jamais mêlée à leur conversation. L'esclandre aurait pu être évité. Au fond du restaurant, elle vit le grand reporter se lever, sa tasse de café à la main. Le pauvre finissait son café debout, apparemment il avait hâte de se tirer. Ce déjeuner en tête à tête avec sa femme avait dû être une épreuve.

Au cinquième verre de Chardonnay, Patricia glissait doucement du « tant pis » à « J'm'en fous d'façon… » Non mais, c'était de sa faute aussi. Elle ne lui avait pas mis un couteau sous la gorge. Le bel Antoine s'était montré avenant, charmant, fougueux, délicieusement romantique en dehors du fait de lui avoir éjaculé dans les cheveux, la deuxième fois…

De retour au salon, Clémentine ressentit une légère frayeur quand elle vit le grand reporter arriver droit sur elle. Le pas déterminé, la mâchoire serrée, il lui empoigna le bras :

— Elle est où, ta copine ?
— Je ne sais pas.
— Ne mens pas.
— Je ne sais pas… Je le jure…

Il serra sa main. Clémentine sentit la douleur se préciser au niveau de son biceps gauche.

— Elle est à l'hôtel.

Le grand reporter lâcha prise et partit à grandes enjambées laissant Clémentine, la mine contrite, se masser le bras. D'accord, elle venait de balancer sa collègue mais sous la torture, tout le monde était témoin.

Accoudée au bar de l'hôtel, une main dans les cheveux, Patricia regardait le grand prix de formule 1 qui se déroulait en direct à la télévision.

— Ça me fout le tournis tous ces tours de bagnoles, déclara-t-elle au barman, avachie au comptoir.

Subitement, elle se redressa, tétanisée : la porte du bar venait de s'ouvrir et son (déjà) ex-sublime nouveau jules lui fonçait droit dessus :

— Attends, je peux tout t'expliquer, s'écria Patricia en essayant de remettre ses souvenirs dans le bon ordre. C'est pas de ma faute, c'est elle qui s'est incrustée dans notre conversation ! Elle a fait genre la bonne copine, même si j'ai bien vu qu'elle était plus âgée que nous mais…

— Ferme-la !

— Comment je pouvais savoir qu'elle était là ? Juste à côté de moi, en plus ? Tu ne m'as même pas dit que t'étais marié…

— Ferme-la, je te dis. Essaye pour une fois. Je suis dans une m… noire à cause de toi ! Mais qu'est ce qui t'a pris de raconter ta vie ? Elle sait des détails qui… que…

— Quoi dont où ? Oh, mais arrête, je n'ai rien dit ! Je répondais à Clem qui me posait tout un tas de questions, c'est tout ! Ce n'est pas de ma faute si cette commère écoutait tout !

— C'est *elle* que tu traites de commère ?

— Ne crie pas. Je n'aime pas les gens qui crient, ce n'est pas très distingué.

— Je rêve, lâcha Antoine.

— Je vous sers quelque chose ? demanda le barman.

— Non.

— Écoute Antoine, je te trouve hyper-beau, t'as un boulot cool, tu me plais beaucoup et tu me plairas toujours alors, s'il te plaît, ne sois pas fâché contre moi… Qu'est-ce que je peux faire pour que tu me pardonnes ? Tu veux me punir ? oh oui, punis-moi, Antoine, dit-elle en plaquant sa poitrine contre son torse, punis-moi comme tu en as envie…

— Tu es ivre ?

— Non…

— Tu es folle.

— Non plus.

Il se dégagea.

— Je m'en vais, dit-il sèchement. Sors de ma vie. Je ne veux plus jamais te revoir, tu es intenable… et, à propos : mon boulot est tout sauf cool.

Il s'éloigna vers la sortie. Patricia, une boule au ventre, ne pouvait en rester là.

— Antoine! cria-t-elle en descendant de son tabouret.

Malheureusement son pied resta coincé dans le repose-pieds et elle s'effondra à plat ventre par terre, entraînant le tabouret dans sa chute. Atterré lui aussi, mais gentleman avant tout, Antoine revint sur ses pas pour l'aider à se relever.

— Tu es une catastrophe ambulante, murmura-t-il, tous les cyclones devraient porter ton nom…

— Antoine, on ne peut pas se quitter comme ça ! On a vécu quelque chose de fort toi et moi, ça n'arrive pas tous les jours, tu sais… S'il te plaît, mon chéri, laisse-moi ton téléphone qu'on puisse au moins se «textoter» de temps en temps !

Il la considéra un temps, sans parler, ôtant ses mains de sa veste à laquelle elle s'agrippait, échevelée.

— Je reviens, lâcha-t-il au bout d'un moment et il tourna les talons.

Patricia le regarda s'éloigner dans ce bar vide d'hôtel de province, pressentant le petit coup de déprime arriver. Il fallait se ressaisir.

— Où il va ? demanda-t-elle tout haut. Il est allé demander à sa bonne femme s'il avait le droit de me donner son numéro ?

Elle ricana et se rassit au bar.

— Quand tu penses, dit-elle au barman, qu'il m'a virée de sa chambre ce matin à sept heures en sachant pertinemment que sa bonne femme allait arriver, je dis bien «pertinemment»… Et après, c'est moi qu'on engueule ! Moi, je dis : il y en a qui sont pas gonflés !

Le barman approuva en essuyant un verre. « Le revoilà », annonça-t-il à la jeune femme. Patricia se retourna et avisa son amant qui venait vers elle, un bout de papier à la main.

— Tu voulais mon numéro ? dit-il en lui tendant le papier.

— Oui...

Elle le déplia et l'engouffra dans la poche arrière de son jean, après y avoir jeté un œil.

— Merci. Tu prends le train avec les auteurs ? demanda-t-elle d'une petite voix.

— Ben oui...

— Ta femme aussi ?

— Non, elle reste, elle s'installe ici, elle adore cet endroit... Tu ne veux pas réfléchir avant de parler ?

— On se reverra à Paris ?

— Je crois qu'on en a assez fait, non ? Je repars mercredi en plus...

— Où ça ?

— Au Turkménistan, à la frontière...

— En Turquie, tu veux dire ?

— Non, au Turkménistan...

— Au Pakistan, tu veux dire ?

— Non ! Bon écoute, je n'ai pas le temps...

— C'est un des nouveaux pays de l'Est, expliqua le barman, frontalier de la Russie, c'est la pire des dictatures ! La Corée du Nord, c'est la Jamaïque à côté. Faut être fou pour aller là-bas !

— Eh oui, grinça Antoine. Alors je te dis adieu maintenant parce que je préfère qu'on s'évite dans le train tout à l'heure...

— Embrasse-moi ! s'écria-t-elle.

— Non.

— Embrasse-moi ou je m'assois entre ta femme et toi dans le train et je parle de ma nuit d'amour pendant trois heures.

— Pas de chantage, petite salope, j'ai horreur de ça, dit-il en lui serrant le poignet.

— T'as bien aimé pourtant comment j'étais salope hier soir, lui glissa-t-elle à l'oreille.

— Arrête Patricia !

Il ne put en dire plus, elle venait de plaquer sa bouche contre la sienne. Antoine se dégagea, rajusta sa veste, passa une main dans ses cheveux, salua le barman et se dirigea vers la sortie sans se retourner. Patricia le regarda et sentit le sirocco de la jalousie et de la tristesse lui souffler dans la nuque...

— Quelle connerie qu'il soit marié ! Il est beau, non ? demanda-t-elle au barman, j'ai trop envie de le revoir...

Dans le train qui les ramenait à Paris, Patricia s'endormit la tête contre une vitre pour ne se réveiller qu'une fois arrivée gare de l'Est. Elle avait si bien cuvé ses verres de chardonnay et s'était endormie si profondément que tous les auteurs présents avaient pu déblatérer sur son cas à moins d'un mètre d'elle. Dans le taxi, elle se félicita de ne pas avoir croisé de nouveau l'historienne, c'était le principal.

Home sweet home

Comme d'habitude, sa mère, qui avait donc un don pour calculer ses horaires, appela Patricia au moment où elle posait son sac dans l'entrée.

— Oh, je suis bien fatiguée maman, lui avoua-t-elle d'une petite voix.

— C'était crevant ce salon du livre ?

— Oh oui...

Inquiète de son ton larmoyant, sa mère lui demanda quelques détails que Patricia lui donna sans se faire prier. Sa mère parut horrifiée par ce qu'elle entendait.

— Mais enfin Patricia, comment as-tu pu faire des confidences à cette femme que tu ne connaissais pas !

— Je sais, je sais...

Elle ne fut pas mécontente que sa mère ne fasse pas de réflexions sur sa coucherie, très «premier soir» et raccrocha après lui avoir demandé quel était le film du dimanche soir sur TF1 parce qu'elle n'avait pas eu le temps d'acheter le *Télé-Loisirs* avec toutes ces péripéties...

Un quart d'heure plus tard, quand son téléphone fixe sonna, Patricia laissa le répondeur. De toute façon, ce n'était pas le bel Antoine qui appelait, alors à quoi bon ? Non, c'était sa sœur, tout juste mise au courant par leur mère, qui laissa sur le répondeur d'une voix un peu trop hilare : «Bonsoir, je suis bien chez Allô Couscous ? Il paraît que vous faites de bien belles boulettes cette année, vous pouvez m'en parler ? »

Patricia débrancha la prise et s'écroula sur son lit.

Épisode n° 3 :
Son passage avec sa meilleure amie car il en existe d'autres dans le même genre…

Le lundi matin au bureau

— J'ai bien la tête dans le gaz, annonça Patricia à la cantonade, en arrivant sur les coups de dix heures et demie.

Personne n'eut l'air étonné ni de cette annonce ni de cet horaire tardif. Patricia ne le savait pas, mais une bonne dizaine de ses camarades étaient au courant de ses frasques durant ce week-end riche en émotions. Un mail avait circulé de bureau en bureau avec en objet : « Êtes-vous au courant de la dernière de S.G. ? » Patricia posa son sac sur son bureau et alluma son ordinateur. Coralie, sa chef, passa la tête dans l'entrebâillement de la porte :

— C'était bien Metz ?

— Très sympa. Miss Glauque n'a pas vendu un seul bouquin mais à part ça…

— Elle a vendu un peu le dimanche après-midi, on m'a dit, mais tu n'étais pas là pour le voir, tu avais disparu, paraît-il…

— Heu pas vraiment… J'étais occupée, j'ai fait des allers-retours, j'ai discuté avec les libraires, les gens, les organisateurs… De toute façon, avec Clémentine on ne reste pas assises toute la journée à les regarder signer !

— Oui, bien sûr…

Coralie fit quelques réflexions sournoises, comme elle savait si bien les faire, sur les salons du livre, endroits sûrement très sympathiques pour les gens sociables comme Patricia qui aimait bien rencontrer du monde. Puis elle se demanda si Patricia appartenait toujours à la France du matin, celle qui se lève tôt, et embraya sur les critiques et journalistes auxquels elle devait faire parvenir des livres si jamais le mot travailler avait encore un sens pour elle. Après ces réflexions fielleuses et mielleuses, elle tourna les talons laissant Patricia avec une nouvelle boule à l'estomac.

Jamais personne n'avait demandé de compte rendu sur les salons, jamais. Il faut dire que c'était la première fois qu'elle avait passé la journée entière à siroter, planquée dans un bar d'hôtel, pour fuir la colère d'une historienne auprès de qui elle s'était répandue sur la bonne santé sexuelle de son mari. À ce propos, elle sortit l'addition des sept verres de chardonnay qu'elle voulait faire passer en note de frais. Sept verres de vin plus un club-sandwich : soixante-sept euros. C'était bizarre comme déjeuner, mais bon…

Elle se remémora aussi avec une belle angoisse la façon dont elle s'était cassé la figure en voulant rattraper son bel amant, sur le point de la quitter pour toujours. La honte, une fois de plus. Ce sentiment ne la quitterait donc jamais ? Une chose la chiffonnait, cependant. Elle chercha dans la poche arrière de son jean le numéro qu'il lui avait laissé. Il ne commençait pas par 06. Ce n'était pas un portable. Il ne pouvait pas lui avoir laissé le téléphone fixe de chez lui, c'était impensable. Il ne pouvait pas souhaiter qu'elle développe une amitié avec son épouse. C'était peut-être le numéro de son journal. Antoine Avertin avait écrit ses initiales : A.A. suivi du 01 48 06 43 68. Mais ce n'était pas le numéro de *Paris Match*, Patricia le savait pour l'avoir assez fait. Il ne commençait pas par 48, elle en était sûre.

Intriguée, elle décrocha le téléphone de son bureau et composa le numéro.

Au bout de deux sonneries, une voix féminine se fit entendre :

— Les Alcooliques Anonymes, bonjour…

Elle raccrocha brutalement. Connard !

— Ah, ma Barbara ! s'exclama Patricia, en entrant dans le petit restaurant où elle déjeunait avec son amie tous les lundis, ma Barbouille, je suis trop contente de te voir ! Je crois que j'ai encore fait mille conneries ce week-end ! Si tu savais ce que j'en ai marre d'être moi !

Barbara, les cheveux relevés par une pince qui laissait dégouliner des mèches auburn et rousses autour de son visage, lui sourit. Compétitive, elle aussi, en ce qui concernait les bourdes, elle s'attendait néanmoins à du lourd avec Patricia. Elle arrivait en tête assez souvent.

— Ma vie est une crise d'angoisse permanente, déclara Patricia en s'asseyant. Il faut absolument que je me « zénifie ». J'ai besoin de relire les pensées du Dalaï Lama ou une interview d'Arielle Dombasle, tu sais quand elle explique que ses matinées sont consacrées à son bain avec bougies de senteurs orientales, après avoir bu un litre de thé vert. Moi, je me suis bouffé tous les ongles et j'ai dû annuler ma manucure pour demain midi !

Tout le monde devrait chercher à s'« arielliser » au maximum.

Malheureusement pour les deux filles, chaque jour de leur *modern life* creusait le fossé qui les séparait de leur idole et Patricia ne tarda pas à se lancer dans la narration de son week-end-désastre numéro 2 après celui chez Éric H. Pas de râteau cette fois – c'était pire. Le côté «aussitôt baisée, aussitôt quittée» avec méga-boulette en prime s'avérait on ne peut plus navrant. Le récit fit néanmoins la joie de Barbara qui raffolait de la fantaisie décalée de sa copine. Le clou de l'histoire fut quand même l'affaire du numéro des Alcooliques Anonymes. Là, Barbara resta sans voix.

— Il n'a pas fait ça? finit-elle par articuler.

— Eh si, confirma Patricia en lui sortant le bout de papier qu'elle jeta sur la table. Bel enfoiré, non? Je lui demande son numéro, il me dit «je reviens», il a dû appeler les renseignements ou que sais-je et il est revenu me filer ça, sûrement très content de sa blague. J'étais littéralement anéantie ce matin en découvrant ce que c'était. C'est pire qu'une blague pour mon cœur déjà trop meurtri, c'est un Scud, une roquette du Hezbollah! Ça mérite une petite vengeance, tu ne crois pas?

— Oh, je pense que tu en as assez fait, murmura Barbara, perplexe et dubitative devant le numéro de la honte. Et puis, comment veux-tu le revoir maintenant? Tu n'as pas son portable, tu ne sais pas où il habite...

— Je connais sa maison d'édition, à lui et à sa bonne femme, je peux le retrouver si je veux...

— Qu'est-ce tu veux lui dire? Tu n'as pas compris le message?

— Si, avoua Patricia, mais ça me rend tellement triste. Je ne peux pas déjà le mettre dans mon tiroir aux oubliettes, il y a trop de monde. Du beau monde, cela dit...

— Allez ma poulette, reprends-toi, tant pis...

— Ah ça, je me le suis bien dit «tant pis». J'ai fait une cure de «tant pis» tout le dimanche...

Elles restèrent silencieuses un moment, chacune occupée à découper son entrecôte-frites, pas très Arielle comme repas, mais tant pis...

— Qu'est ce que tu fais ce soir ? demanda Patricia en se grattant une molaire avec la pointe de son couteau.

Un bout d'entrecôte était resté coincé entre ses dents. Pas très Arielle comme geste.

— Je vois mon fuck friend, annonça Barbara.

Le fuck friend était très en vogue chez les célib' ces derniers temps. Toutes les filles avaient le leur. Autrefois surnommé l'amant éternel, on l'appelait aujourd'hui le copain câlin pour éviter de dire le baiseur. L'ami gentil, serviable, qui vient faire l'amour dès que vous l'appelez. Pour Barbara, il s'agissait de son ex, tout simplement. Après avoir passé deux ans avec Bruno – première année formidable, la deuxième à s'étriper –, ils s'étaient quittés puis revus, un peu. De fil en aiguille, ils avaient recouché ensemble et, finalement, décidé de ne plus faire que ça. Les avantages sans les inconvénients. Surtout pas de vie ensemble, pas de conversation sérieuse ou de projet d'avenir car c'était l'empoignade assurée. De fiancé officiel, il était passé à pote au pieu et ce n'était pas plus mal. Il déboulait dès qu'elle l'appelait, la sautait et repartait. En général, les calendriers des copains câlins étaient assez hormonaux. Les filles appelaient souvent la semaine qui suivait les règles, tous les mois ou tous les deux mois, ça dépendait. Pas de planning, pas de contrainte, pas de concession et cela ne les empêchait pas de tomber amoureux à côté si il ou elle rencontrait quelqu'un ; mais il était très rare qu'une fille largue son fuck friend, peut-être la veille de son mariage et encore, pas sûr... On ne sait jamais.

Patricia était très jalouse, elle n'avait pas de copain câlin. Son dernier ex-officiel avait couru chez SFR changer de numéro de portable cinq minutes après avoir rompu. Elle n'avait jamais eu de nouvelles, il avait même changé d'adresse mail, l'idiot. Quand elle rencontrait quelqu'un qui lui tapait dans l'œil, il ne pouvait pas devenir qu'un petit baiseur occasionnel. Elle était trop romantique pour ça. Avec elle, c'était souvent tout ou rien. Quitte à se lasser deux semaines après comme une ado, sur le moment elle voulait au moins avoir la sensation de vivre quelque chose d'important, d'intense. Pas de corps sans âme et son esprit transformait la moindre petite aventure en passion effrénée où elle était successivement la princesse de Clèves, Mme Bovary, Scarlett O'Hara, ou la petite jeune des *Liaisons dangereuses* dont elle ne se rappelait plus le nom. Elle vivait avec un sens aigu du drame les rapports de force, les silences et les retrouvailles enfiévrées, mais, malgré son engouement, ces romances étaient souvent rattrapées par le quotidien, la lassitude et s'achevaient platement par un : « Finalement il m'énerve, il a même pas de prise ADSL chez lui ! »

Oui, mais maintenant ? Après deux week-ends qui n'auraient certainement pas inspiré les écrivains du dix-neuvième siècle, elle voyait les choses sous un autre angle. Et si pour une fois, elle organisait une excursion sur la planète « Just Sex » ?

— Tu pourrais me prêter ton fuck friend, un soir ?

— Bruno ? Mais tu le détestes ! Quand on était ensemble, tu étais odieuse avec lui.

— Je l'ai toujours trouvé un peu primaire... Et puis, je ne sais pas, j'avais peut-être peur qu'il nous sépare.

— Rassure-toi, il n'y a pas de risque. Il n'y en avait pas beaucoup à l'époque, il y en a encore moins maintenant.

— Tu crois qu'il accepterait de venir... chez moi... et éventuellement de... hein ? Qu'est-ce t'en penses ?

— Aucune idée, franchement. Il faudrait lui demander. Je lui poserai la question ce soir, si tu veux...

— D'accord, je suis sûre que ça m'aidera à oublier Antoine, le plus beau des grands reporters, si raffiné, si adorable, si gentil, si élégant, ses yeux bleus, ses jambes immenses, ses fringues top...

— Et sa femme! Et les numéros bidon qu'il te donne! Arrête Patricia...

— T'as raison, il faut que je me ressaisisse, avoua-t-elle vaincue, les yeux fixés sur la nappe.

— Tu pleures?

— Non.

— T'as les yeux humides.

— Je me dis que c'est encore un beau gâchis cette histoire.

— Ne t'en fais pas, ma poulette. Ce n'est pas le premier, ce ne sera pas le dernier.

— Si tu cherches à me réconforter, c'est loupé. Au salon, j'ai vu une femme qui avait écrit un livre intitulé : *Ces mots qui consolent* et je ne pense pas que ce genre de réflexion soit dedans! J'aurais dû acheter ce bouquin, conclut-elle avant d'appeler le serveur pour un café. En tout cas, tu n'oublies pas ce soir de demander à ton FF s'il est partant pour moi...

— Promis.

— Tu m'appelles ce soir, je serai chez moi. Après ma double cuite de ce week-end, je suis morte...

— OK

Le lendemain

Patricia sortit de sa réunion à onze heures vingt, les mains tremblantes et le cœur au bord des lèvres grâce aux six gobelets de café ingurgités et au patch à la nicotine, spécial réunion qui dure. Un poil parano, il lui avait semblé que Jean-Louis, son patron, les quatre directeurs littéraires et les commerciaux l'avaient regardée bizarrement. Elle regagna son bureau en se demandant qui, dans la boîte, avait connaissance de ses frasques, elle qui faisait tant d'efforts pour dissimuler son côté «usine à conneries ouverte vingt-quatre heures sur vingt-quatre»... Cette traîtresse de Clémentine avait certainement parlé. Patricia s'empara de sa pile de journaux. La revue de presse constituait la meilleure partie de son travail. Tout devait être lu et chaque article ou critique évoquant le livre d'un de ses auteurs était découpé, photocopié et classé dans un dossier de presse. Après avoir fait la tournée des bureaux, le *Voici* du lundi était enfin revenu sur le sien. Elle hésita un petit moment entre *Voici* et *Lire*, mais comme personne ne l'observait, elle se plongea dans *Voici*, les pieds sur le bureau, et ne prêta guère attention à la silhouette qui venait de passer devant sa porte.

Françoise de Lysières avait rendez-vous à onze heures trente avec Jean-Louis Valton, le patron des Éditions du Volcan pour signer un nouveau contrat. Elle n'était pas mécontente de changer d'éditeur, le dernier avait très mal distribué ses livres. Ils n'étaient même pas en vente à la Fnac des Ternes et cette absence l'avait rendue furieuse. Quand elle avait rencontré Jean-Louis à une remise de prix, il y a huit mois, elle lui avait raconté ses déboires de distribution et l'éditeur lui avait alors proposé de venir signer sa prochaine biographie historique chez lui. Elle avait sauté sur l'occasion. L'homme semblait professionnel, il était passionné par l'histoire et sa boîte avait plutôt bonne réputation. Françoise avait toute confiance en cet homme providentiel. Un nouvel horizon s'ouvrait, une nouvelle vie d'historienne, de biographe reconnue et des tirages qui allaient peut-être dépasser les trois mille exemplaires pour son quatrième livre, il était temps ! Ravie de respirer un nouvel air, mais un peu perdue dans les couloirs, Françoise revint sur ses pas, ne se souvenant plus où était le bureau du patron, elle retourna à la réception et demanda à la standardiste de lui indiquer le chemin. La standardiste décrocha son téléphone, annonça la présence de Françoise, dit d'accord dans le combiné, raccrocha et demanda à la femme de s'asseoir car l'assistante de Jean-Louis allait venir la chercher. Françoise prit place sur un des canapés face à la réception, son cartable de prof d'histoire serré entre ses mocassins, elle tira sur sa jupe, redressa son serre-tête en velours de 1983 et attendit.

Patricia ôta les pieds de son bureau pour fouiller dans son sac. Son portable sonnait, c'était Barbara :

— C'est moi, je n'ai pas pu te rappeler hier soir, Bruno a dormi à la maison finalement, s'excusa sa meilleure amie. Sa moto était en panne.

— Alors, tu lui as parlé ?

— Oui.

Un silence un peu inquiétant fit patienter Patricia :

— Qu'est-ce qu'il y a ? Il ne veut pas ? Je ne lui plais pas, c'est ça ?

— Non, au contraire, ça l'a beaucoup amusé. Il paraissait ravi. Toi qui as toujours snobé tout le monde avec tes mecs ! Que tu fasses appel à lui aujourd'hui ! Franchement il a trouvé ça tordant ! Il a dit : « Je vais la défoncer la petite bourge. » Il est libre jeudi soir. Je lui ai donné ton adresse et ton code.

— Hou, là, là ! paniqua Patricia, ce n'est pas du tout ce que je recherche ! Hors de question que j'ouvre ma porte à un violeur revanchard.

— Tu as du lubrifiant chez toi ? parce que ses copains du rugby l'appellent Rocco !

— Hou, là, là ! Non ! s'écria Patricia. Il n'en est pas question. Annule immédiatement ! Je... Tu... Pourquoi Rocco ?

— Devine...

— Nooon ?

— Ben si. Il n'est pas *fuck friend* pour rien !

— Annule ! Hors de question de passer la soirée avec un pénis sur pattes. Si j'en veux un, je peux aller en acheter chez Sonia Rykiel !

— Il a dit qu'il passerait vers neuf heures.

— Non, ce n'est pas possible. Je ne peux pas le voir s'il est animé par cet esprit de sexe et de violence. Ce type… ton copain, n'a vraiment aucun raffinement. Il n'est pas cultivé. Je ne couche pas avec ce genre de mec.

— Faudrait savoir ce que tu veux ?

— Je t'ai demandé ça hier, mais c'était un coup de déprime. Aujourd'hui, ça va mieux, je me sens moins fatiguée. Je n'ai plus de gueule de bois déjà…

— Tu veux que je le rappelle pour annuler ?

— Oui, s'il te plaît…

— Bon d'accord.

« Ouf, pensa Patricia en faisant claquer son portable, on n'est pas passé loin de la cata. » Un peu plus et l'ex de sa meilleure amie déboulait jeudi soir pour la violer. C'est vrai qu'elle s'était toujours montrée hautaine avec lui. Mais que voulez-vous raconter à un type qui travaille chez un concessionnaire moto ? Qui répare des pots d'échappement ? Qui customise des Harley-Davidson ? Qui en est tout fier ? Qui dit à tout bout de champ : « J'adore les vieilles BM comme bécane » ? Qui a du cambouis sous les ongles ? Et qui n'a jamais entendu parler de Paul Morand ! Non, franchement, c'était impensable. Selon les souvenirs de Patricia, il n'était pas très grand mais assez robuste. Elle se souvenait de ses épaules, bien carrées. De ses cuisses, assez épaisses. De ses mains, très larges. Physiquement, il lui faisait penser à cet acteur quand il joue des rôles d'abruti, comment s'appelait-il déjà ? Clovis Cornillac, voilà. Même genre. « Non franchement pas de regret », pensa-t-elle en rangeant son portable.

Elle regarda sa montre, elle avait rendez-vous avec Sébastien, son gay collègue, comme elle l'appelait. Seb travaillait dans une maison d'édition qui se trouvait à cinq minutes de la sienne. Elle allait passer le prendre et l'emmener déjeuner dans un restaurant aux alentours d'Odéon. Elle prit sa veste, son sac et sortit de son bureau. Elle se dirigeait vers la sortie lorsqu'en passant devant la réception, la standardiste l'interpella. Du courrier venait d'arriver pour son bureau. Patricia s'empara des grandes enveloppes, y jeta un œil et commença à les trier.

— OK, dit-elle en les rendant à la standardiste, mets-les dans mon casier. Je les reprendrai tout à l'heure, je vais déjeuner.

— D'accord, répondit-elle.

Patricia allait tourner les talons quand la porte du bureau de son patron s'ouvrit et comme au ralenti, elle vit en sortir avec stupeur ce profil et cette silhouette qu'elle voulait oublier à tout prix. L'historienne cocue était là, dans *ses* murs, remettant la bandoulière de son sac sur son épaule et serrant la main de son patron avec un large sourire. L'éditeur fit d'ailleurs quelques pas avec elle, histoire de la raccompagner poliment. Patricia arracha son courrier des mains de la standardiste :

— Finalement, je vais le ranger maintenant, lui lança-t-elle en se précipitant vers son bureau qu'elle regagna au pas de course.

Une fois à l'intérieur, elle s'adossa contre la porte en reprenant son souffle.

Qu'est-ce qu'elle faisait là ? L'avait-elle vue ? Non, elle n'en avait pas eu le temps. Elle balança le courrier sur sa chaise et s'assit sur son bureau. Au bout de quelques secondes, elle décrocha son téléphone et composa le numéro d'un des bureaux voisins :

— Clémentine ? demanda-t-elle.

— Oui, répondit l'autre.

— Tu ne vas pas croire ma guigne. Devine qui je viens de voir passer ?

— Vas-y.

— Mon cauchemar de ce week-end ! Françoise de Chaipluquoi. L'historienne ! La femme d'Antoine ! Elle est là, je viens de la voir, elle sortait du bureau de Jean-Louis. Tu crois qu'elle lui a parlé de moi ? Tu vois quand je te disais que cette histoire pouvait faire un grabuge de tous les diables !

— Attends, elle est peut-être là pour autre chose…

— J'espère.

— C'est peut-être qu'un rendez-vous de boulot, la rassura Clémentine.

— Tu crois qu'elle va publier chez nous ? Oh, l'horreur...

— Peut-être.

— Tu ne veux pas te renseigner ? Vois quels livres d'histoire sont annoncés. En même temps, si c'est une bio historique, elle peut aussi bien mettre trois ans à l'écrire... Si elle n'a pas déjà commencé. Elle m'aura oubliée d'ici là, non ?

Patricia se rassurait comme elle pouvait.

— Je vais me renseigner, répondit Clémentine.

« L'angoisse », pensa Patricia. Pourtant les livres historiques étaient souvent énormes et ne s'écrivaient pas en un claquement de doigts. Les recherches en bibliothèque, déjà, prenaient un temps fou. Patricia joignit ses deux mains pour une prière express.

« Mon Dieu, si elle signe son prochain livre ici, faites qu'elle mette au moins dix ans à l'écrire ! Je serai partie d'ici là. »

Elle réunit ses affaires et se dirigea vers la sortie. Une fois dehors, elle aspira une grande bouffée d'oxygène et continua ses prières express dans la rue : « Mon Dieu, faites qu'elle n'ait rien raconté de ce week-end à mon patron ! » Au fond de son sac, son portable se manifesta pour annoncer un message. Patricia l'empoigna, stressée : « Pat, c'est moi Barbara, bon j'ai appelé Bruno, mon FF, ou le nôtre, je ne sais pas encore parce que le problème, c'est que je n'arrive pas à le joindre : sa messagerie est pleine et on ne peut plus lui laisser de messages. C'est bête, hein ? Enfin, je réessaierai ce soir ou demain. Voilà, je voulais que tu saches que ce n'était pas encore annulé pour jeudi soir, mais ne t'inquiète pas, je vais bien finir par l'avoir d'ici là... Je t'embrasse, ma poulette. »

Voilà autre chose, songea Patricia. Comment la messagerie de ce benêt pouvait-elle être pleine ? Qui l'appelait ? Des clients probablement, pour leurs motos. Ce lourdaud ne devait pas avoir de portable professionnel et tout le monde appelait sur le sien. Et si c'était des filles ? Et s'il était le pote au pieu d'une dizaine de nanas ? Après tout, Barbara avait laissé entendre qu'il n'était bon qu'à ça. Elle n'était peut-être pas la seule à s'en être rendu compte… Non, pas possible. Patricia chassa cette idée mais, finalement, il devenait intéressant s'il avait une messagerie pleine…

Tee-shirt Diesel au-dessus du nombril, pantalon sarouel ultra-taille basse, cheveux noirs en pétard, Sébastien l'attendait dans le hall de sa boîte. À peine arrivée, elle se précipita dans ses bras et déposa un léger smack sur sa bouche.

— J'ai réservé à La Méditerranée, annonça Sébastien.

— Génial, approuva Patricia.

La Méditerranée : un de ses restaurants préférés, place de l'Odéon. L'on y savourait les meilleures soles grillées tout en admirant les peintures et dessins de Jean Cocteau aux murs. Patricia et Sébastien y entrèrent bras dessus, bras dessous et se laissèrent guider jusqu'à leur table. Une fois installés l'un face à l'autre, Patricia lui narra sa vision d'horreur du matin et lui fit part de ses vives craintes de voir l'historienne publier son prochain livre sous son toit professionnel. Sébastien écarquilla les yeux et mit sa main devant sa bouche, dissimulant ainsi son étonnement et le fou rire qui le gagnait. Il sortit son portable de son petit sac en bandoulière et appela Lucas, son compagnon, pour lui raconter la suite du feuilleton de Metz. On dit que le chromosome Y est dépourvu du gène du potin, force est de constater qu'il est tout de même un peu présent chez les gays. Patricia entendit l'éclat de rire de Lucas dans le portable de Sébastien. Dépitée, elle attrapa un bout de pain dans la corbeille en attendant que ces deux tafioles aient fini de glousser sur ses malheurs.

— Comment va-t-il, Lucas ? demanda-t-elle à Sébastien une fois qu'il eut raccroché.

— Mieux. Tu es au courant du petit malaise qu'il a eu la semaine dernière.

— Oui.

Lucas était chroniqueur pour une émission sur le câble. À la base, son rêve était de participer à une émission littéraire sur une chaîne infos, mais les choses ne s'étant pas déroulées comme prévu, il avait atterri sur une chaîne plutôt féminine, dans une émission sur la santé. Chaque semaine, en compagnie d'une présentatrice, il recevait des médecins ou des spécialistes pour parler d'un sujet. L'émission pouvait aborder aussi bien : les problèmes de dos, la migraine, la coloscopie, la boulimie, les dents de sagesse, le cancer du sein, l'homéopathie, les médecines parallèles, la goutte aux pieds, la myopie, les médicaments génériques, l'ostéoporose, l'incontinence, enfin tout y passait et ce nouveau boulot avait rendu Lucas complètement hypocondriaque. Chaque semaine, il était persuadé qu'il avait très certainement chopé la maladie traitée dans l'émission (y compris le kyste aux ovaires) et passait sa vie plongé dans des dictionnaires médicaux. Pour préparer ses interviews, certes, mais surtout pour déceler les symptômes et les comparer aux siens. La moindre rougeur lui provoquait une montée d'angoisse et il n'était pas rare qu'après l'émission, il accapare le (ou la) médecin dans sa loge pendant une heure pour lui montrer un bouton très bizarre. Tous lui avaient gentiment conseillé un psy. La semaine passée, ils avaient enregistré l'émission qui portait sur les maladies sexuellement transmissibles et une gynécologue très brillante était venue en parler et mettre en garde les jeunes gens. Or, au moment où elle avait prononcé les mots : «… Mycose vaginale avec pertes blanches et démangeaisons… »,

Lucas avait tourné de l'œil devant les caméras. Panique sur le plateau. Deux types de la régie l'avaient transporté à l'infirmerie et la séquence avait été coupée au montage. Heureusement, parce que la grande frayeur de Lucas aurait été de passer au zapping avec son évanouissement de comtesse apprenant que son mari l'a déshéritée au profit de la bonne. Officiellement, il s'agissait d'hypoglycémie. Lucas n'avait pas eu le temps de beurrer ses tartines le matin même. L'émission avait alors repris sans lui.

— C'était vraiment une crise d'hypoglycémie, confirma Seb. Tu penses on a vu cinq médecins. Ils lui ont tous pris sa tension mais ce qui étonne Lucas, c'est que ce n'est jamais le même chiffre chaque fois… Mais la tension, ça évolue. Ce n'est jamais la même selon que tu la prends le matin ou le soir, si tu as couru ou pas juste avant… Enfin bref, c'est fou ce qu'il peut paniquer pour un rien. Cela dit c'est normal, on a eu trop de morts autour de nous, pour des gens de notre âge…

Patricia approuva silencieusement.

— Mon père fête ses soixante-dix ans ce week-end à la campagne, reprit Sébastien désireux de changer de sujet. Je vais y aller avec Lucas, enfin ! s'exclama-t-il.

— Alors ça y est, tu l'officialises ?

— Oui, il est grand temps.

Sébastien n'avait pas eu besoin de faire son coming-out. Il lui avait été inutile d'écrire un petit poème à ses parents pour leur annoncer qu'ils n'auraient pas de descendants afin d'écourter un repas de famille. En juin 1991, son père, rentré plus tôt que prévu, avait fait irruption dans sa chambre et l'avait trouvé au lit avec le professeur de danse de sa jeune sœur. Ça au moins, c'était fait. Maurice Raulnet, le père de Sébastien, était commissaire-priseur, un poil psychorigide, catalogué grande bourgeoisie côté Champ-de-Mars et la communication sur ce sujet n'étant pas prévue dans son planning, il n'en avait jamais parlé. Absolument jamais. Patricia connaissait un peu les parents de Seb. Son père surtout car il avait préfacé, il y a deux ans, un livre sur Matisse. Elle le trouvait sympathique même si elle lui reprochait, sans en parler elle non plus, cette attitude d'autruche vis-à-vis de son fils. Comme dans beaucoup de familles, Sébastien avait vécu une non-communication absolue sur ce point. Même sa sœur, venue demander des explications sur les causes de sa non-réinscription au cours de danse, s'était heurtée à des non-dits, des silences et des regards en biais. À l'époque des faits, Marie-Claire, sa mère, avait passé le week-end entier enfermée dans sa chambre soi-disant pour finir le puzzle de trois mille pièces du *Déjeuner sur l'herbe* et en était ressortie les yeux rouges... On ne disait jamais rien chez Sébastien et, à présent, il était décidé à débarquer chez ses parents au bras de Lucas, que ça leur plaise ou non et, comme d'habitude, ils ne diraient sûrement... rien.

— Tu m'invites? lança Patricia.

— Si tu veux mais ça risque d'être ennuyeux à périr. Enfin, je veux dire, ce n'est pas la teuf du siècle! On laisse les ecstasys à la maison. J'imagine que ça va ressembler à une espèce de garden-party avec des grandes tentes blanches...

— Et il y en aura au moins deux en dessous! le coupa Patricia.

— Très drôle, tu es en forme en ce moment? Donc réception dans le jardin avec un maximum de gens dans l'ââârt encore plus snobs et coincés que dans le milieu littéraire... Enfin, je t'aurai prévenue...

— Ça m'amuse!

— T'es bien la seule, conclut Seb en se demandant quel terme employer pour présenter Lucas...

Deux mauvaises nouvelles le lendemain matin. Barbara n'arrivait toujours pas à joindre Bruno pour annuler le rendez-vous de jeudi soir et Clémentine avait eu confirmation qu'une certaine Françoise de Lysières s'apprêtait à sortir un livre pour le mois de juin. Une biographie de Talleyrand dont le sujet, paraît-il, «avait été évoqué plusieurs fois en réunion».

Patricia n'en avait aucun souvenir.

Épisode n° 4 :
Son passage auprès d'un plan Q, ingrédient nécessaire de la vie des célib'

Le jeudi midi, Patricia commença à s'inquiéter et téléphona à Barbara :

— Si je comprends bien, tu n'as pas pu annuler ce rendez-vous ? Ce fuck-date de débiles ? Mais qu'est-ce qu'il m'a pris de te demander ça ?

— Écoute, j'ai même appelé son patron, son frère, personne n'arrive à le joindre, se justifia Barbara. Il est en Hongrie sur une course de motos, il rentre ce soir...

— Et il va débarquer chez moi ?

— Ben...

— Je m'en fous, je ne lui ouvrirai pas !

— Tu sais, il n'est pas méchant... Je t'envoie pas Guy Georges...

— Je ne sais pas quoi lui dire... Il a de la conversation ?

— Patricia, tu m'énerves par moments...

— Que dois-je faire ? Préparer un dîner ?

— On ne dîne pas avec son fuck-friend. De même qu'on a des dîners friends avec qui on ne couche pas...

— Je ne connaissais pas tous ces codes. En général, je dîne, je bois trop et je couche.

— C'est dépassé. Il faut classer maintenant, compartimenter. Structurer sa vie. Chaque dossier a son placard.

— Me foutent le cafard tes placards. J'ai déjà mes tiroirs à mémoire remplis de boulettes et de connards à oublier au plus vite. M'est avis qu'il va y finir aussi sec... Qu'est-ce que tu fais quand il vient chez toi ? Vous regardez un DVD ?

— Non rien, on va dans ma chambre...

— Hou là. Bon, moi qui ne le connais pas aussi bien que toi, je vais organiser un truc à l'ancienne. Pas de chandelles, mais deux blinis, deux tranches de saumon, une bouteille de sancerre blanc et je lui demanderai ce qu'il a pensé des *Bienveillantes* de Jonathan Littell...

— Si tu crois qu'il a lu les mémoires de neuf cents pages d'un chef nazi !

— Tous les gens que je connais les ont lus !

— Tu te crois obligée de ne fréquenter que des gens de ton milieu socioculturel ?

— C'est mieux.

— C'est de la paresse, voire de l'intolérance...

— Ben tant pis... Tiens mon expression préférée, une fois de plus.

En sortant du bureau, Patricia fit un saut chez le traiteur pour acheter comme elle l'avait prévu : saumon, blinis, vin blanc et citron. Elle prépara une petite table sans prétention, fit un peu de rangement, porta à son nez la crème fraîche de son frigo en se demandant si elle était encore bonne, décréta que oui, prit une douche et s'épila car sait-on jamais, se maquilla, pas trop, et évita de penser. S'il venait, elle était prête, sinon elle passerait de toute façon une très bonne soirée chez elle. Pas d'angoisse. Elle prit même son carnet pour y noter d'éventuels sujets de conversation. Elle n'avait jamais su quoi raconter à ce type et c'est vrai que le livre de Jonathan Littell exclusivement, c'était un poil réducteur.

Elle jeta sur le papier quelques idées et sujets de papotage qui détendent l'atmosphère :

François Truffaut (excellent niveau – avec en prime imitation de Fanny Ardant dans *La Femme d'à côté*).

Les livres de Christine Angot ou plutôt son caractère. À voir.

Les chevaux (niveau nul. Elle raya).

Le théâtre (bon niveau surtout sur les meilleures vannes de Sacha Guitry).

Films de Louis de Funès (maintes fois récités, trop éculés. Idem pour films d'Audiard).

Politique (niveau passable. Merci LCI pour son « Politiquement show »).

Les voyages (niveau nul. Passeport à refaire depuis quatre ans).

Les bars d'hôtels parisiens qui font les meilleurs Bellini (intarissable).

La mode (sujet à éviter avec hétéro-blaireau).

Elle allait noter les séries américaines de Canal quand on sonna à sa porte. Le ding-dong la fit sursauter ou plutôt tressaillir d'horreur. Lentement elle se leva, se dirigea vers la porte et resta quelques secondes l'œil collé au judas. Tiens, F.F. n'avait pas son éternel casque de moto collé à son bras. Il avait mis une belle chemise blanche. « Un peu plus et ce primate allait passer pour civilisé », pensa Patricia en ouvrant la porte.

— Salut, annonça Bruno dans un grand sourire que Patricia jugea narquois.

— Salut, répondit-elle, lugubre et inquiète.

Installation d'un silence (bon niveau).

— Je t'amène pas une lettre recommandée de ta banque. Je peux rentrer ?

— Je t'apporte. Si c'est un objet, on n'emploie pas le verbe amener… Et entrer et non pas rentrer…

— Je crois que je vais me casser, en fait…

— Mais non !

Elle s'effaça pour le laisser passer. Il hésita et afficha de nouveau son petit sourire satisfait. Cro-Magnon n'était pas susceptible.

— J'ai eu Barbara tout à l'heure, annonça-t-il…

— Enfin !

— Oui, il paraît que tu voulais annuler ?

— Effectivement parce que je ne sais pas si on s'est bien compris sur… enfin…

— Comme elle m'a dit que t'allais tout de même préparer quelque chose au cas où, je n'ai pas voulu te faire faux bond et puis j'adore le saumon. Je dois aussi te dire que le bouquin de neuf cents pages, je ne l'ai pas lu mais j'ai lu plein d'autres trucs sur la Seconde Guerre mondiale.

— J'ai dit ça en plaisantant…

Elle le fit passer dans son salon dont l'ambiance chaleureuse avait été travaillée à coup de petites lampes bien disposées aux quatre coins de la pièce.

— C'est mignon chez toi ! lança Bruno.

Il se laissa tomber sur un des canapés et avisa la table basse sur laquelle Patricia avait succinctement mis le couvert. Visiblement, il était plus à l'aise qu'elle.

— Tu veux que j'ouvre le vin ? proposa-t-il en se relevant.

— Je veux bien, dit Patricia, rangeant son carnet de notes.

Il se dirigea vers la cuisine avec la bouteille. Les hommes qui se sentent de vrais mâles proposent toujours de déboucher le vin et les filles qui ont soif adorent le bruit sec du bouchon ôté virilement.

Patricia ne tarda pas à se réjouir en l'entendant.

— Tu as trouvé le tire-bouchon ? demanda-t-elle.

— Mais oui, je ne suis pas idiot !

— Ah ?

— Tiens, goûte-le, dit-il en lui tendant un verre qu'il avait également réussi à trouver.

Patricia porta le verre à ses lèvres.

— Tu sais, annonça-t-il clairement, je ne te baiserai pas si t'en as pas envie.

Patricia recracha sa gorgée de dégustation et partit dans une quinte de toux. Bruno éclata de rire. Il était vraiment à l'aise, lui. Patricia se détendit.

— Message reçu, dit-elle en levant les yeux vers lui.

Le tout était de savoir comment il allait faire naître l'envie. Sur une échelle de 20, son baromètre de désir charnel était à 0,0014.

Il trinqua avec elle. Comme il avait brisé la glace, Patricia enchaîna :

— À vrai dire, je suis désolée de la façon dont les choses se sont passées. J'ai eu une conversation avec Barbara sur le sexe, bon rien de graveleux, mais comme j'étais déprimée, tu sais ce que c'est, je sortais d'une rupture et…

— Une rupture ? Tu es restée combien de temps ?

— Un grand reporter qui parcourt la planète dans tous les sens…

— Combien de temps…

— Par la suite, j'ai eu de gros ennuis avec sa femme et…

— Vous êtes restés longtemps ensemble ? insista Bruno.

Mais quelle question indiscrète !

— Un soir, répondit Patricia, mais je précise que la durée de la liaison n'a aucun rapport avec la dose d'émotion ressentie.

Elle avait prononcé plus fort les derniers mots pour étouffer le rire de son invité. Il se dirigea dans le salon tout en imitant Patricia :

— « Tu sais ce que c'est, je sortais d'une rupture… » « Ah bon, tu es restée combien de temps ? » « Un soir… »

Et son fou rire redoubla. Patricia apporta le reste des plats sur la table en l'ignorant. Au bout de combien de temps une histoire d'amour était-elle prise au sérieux ? Y avait-il un délai à respecter ? Six mois, cinq ans, vingt ans… D'accord, une soirée ne faisait pas très sérieux et pourtant ça l'avait été dans le cœur empressé de Patricia.

— Quoi qu'il en soit, je n'ai pas dit mon dernier mot, conclut-elle en s'asseyant. Je vais le revoir, je le sais, je le sens…

— Ce serait bien, approuva Bruno. Il sait comment tu t'appelles ?

— Bon, ce que je voulais te dire sur la façon dont notre rendez-vous s'était fait…

— Ah oui, dis-moi…

— Et bien, ce n'était pas très romantique, voilà et j'en suis désolée…

— Pourquoi ?

— Parce que ça doit être très humiliant pour un homme de passer pour un objet sexuel. Cela dit pour une femme, ce n'est pas terrible non plus…

— Mais arrête, ça ne me dérange pas du tout. J'adore !

Patricia cessa toute activité pour le regarder dans les yeux.

— Bruno, articula-t-elle, Barbara t'appelle son fuck-friend. Je lui ai demandé si elle pouvait te prêter, elle a dit oui sans hésiter. On aurait pris plus de pincettes si on avait dû se refiler un gode !

— Moi, ça me plaît. Ça m'excite, dit-il en croquant un morceau de blini trop grand pour sa bouche.

— Moi, ça me sidère. Tu te rends compte ? Tu es un sex-toy qui parle, qui mange et qui est en train de me mettre de la crème fraîche sur mon canapé, conclut Patricia en s'emparant d'une serviette qu'elle imbiba d'eau pour nettoyer.

Elle frotta aussi le revers de la chemise du bellâtre sur lequel une goutte de crème était tombée.

— Tu vas voir le sex-toy, ce qu'il va te mettre, lâcha Bruno doucement.

— Ah non, je t'en prie : pas de grossièretés, déjà que tu manges comme un goret !

Ce type était incurable mais attisait la curiosité de Patricia, désireuse de connaître l'issue de ce processus sexo-sociologique.

— Et… comment dire… le fait que Barbara te refourgue à ses copines, ça ne te dérange pas ?

— Non. Et puis *ses* copines, c'est un bien grand mot. Elle m'en a présenté juste une avant toi et je dois dire que ça se passe vraiment très bien. Trop bien…

— Comment ça ?

— Elle s'attache de plus en plus. Elle m'appelle tout le temps. Comme elle habite une espèce d'hôtel particulier et qu'elle fait chambre à part avec son mari, je suis obligé de passer par le balcon. Tu imagines ? Je grimpe au lierre.

— Enfin un truc romantique ! s'écria Patricia. Et alors Roméo, tu lui déclames des poèmes sous son balcon ? Tu lui chantes des chansons ?

— Je viens de te dire que j'étais obligé d'escalader le mur pour la baiser, ce n'est pas pour ameuter tout le quartier !

Patricia secoua la tête. Arriver à extorquer une vision romanesque de ce cerveau à testostérone était chose âpre. Tout d'un coup, elle écarquilla les yeux en réalisant ce qu'elle avait entendu.

— Comment ça, elle fait chambre à part avec son mari ? Mais quel âge a-t-elle ?

— Ce n'est pas une petite jeune, dit Bruno, gêné. À vrai dire son âge, je ne l'ai jamais demandé… Je suis un gentleman.

— Première nouvelle. Mais c'est qui cette bonne femme ? demanda Patricia qui ne reconnaissait aucune des relations qu'elle avait en commun avec Barbara.

— Je ne te le dirai pas, déclara Bruno.

— Allez.

— Non.

— Comment elle s'appelle ?

— N'insiste pas.

— Je ne te crois pas et puis Barbara n'a pas d'autres copines en dehors de moi...

— Tu parles...

— Tu n'as pas l'impression de faire le gigolo ?

Les trentenaires disaient « fuck friend » mais pour les quinquas, le vieux terme de « gig » continuait de faire l'affaire.

— Absolument pas dans la mesure où je ne lui demande pas d'argent, poursuivit-il, énigmatique.

— Et avec elle, ça se passe bien ?

— Elle est amoureuse, je te dis.

— Ça alors ?

— Ça t'étonne ?

— Euh... non non, pourquoi pas ? Il en faut pour tous les goûts... Une femme mariée et délaissée en train de tomber amoureuse de Bruno, le garagiste. C'est très... roman d'après-guerre.

— Je ne suis pas garagiste !

— Tu es mécanicien, un truc comme ça, non ?

— Tu n'as jamais rien compris. Je me suis associé avec mon patron. On dirige une concession de motos. On vend des bécanes de toutes les marques, des occasions, des neuves. On loue aussi des scooters, si ça t'intéresse, même des vélos. Et la boutique marche très bien si tu veux savoir...

— Je suis ravie pour toi. C'est vrai que tu as arrêté le cambouis sous les ongles, remarqua Patricia en lui prenant la main.

— Ce que tu peux être méprisante, dit-il en récupérant sa main.

Il la repoussa par la même occasion. Patricia entoura ses mollets de ses bras et s'adossa au canapé.

— Je te signale que tu étais supposé être gentil avec moi ce soir, dit-elle en fixant son profil.

— Je ne bande pas pour les petites pimbêches.

— J'aime bien ta franchise.

— Pétasse.

— Alors le Julien Sorel de la Honda, tu veux faire un Scrabble ? Un Trivial ?

Il ne répondit pas.

N'en déplaise à Patricia, Bruno était un type qui plaisait aux filles. Il était pragmatique et rationnel, disait ce qu'il pensait et, inversement, et ne s'offusquait jamais d'aller dépanner quelques cas désespérés dans Paris. Il devait être un poil macho aussi car il semblait bien sûr de lui en ce qui concernait son pouvoir sexuel. Exactement le genre de qualités qui amusent au début et qui exaspèrent par la suite. Trop séducteur, trop simple. Encore un qui devait être incapable d'avoir une dispute bien tordue quand Patricia adorait se monter des scénarios à côté desquels ceux de Zulawski pouvaient paraître rudimentaires.

— On peut faire un Trivial Pursuit, reprit-elle et dès que l'un de nous ne sait pas ou ne donne pas la bonne réponse, il enlève un vêtement...

Elle l'avait vexé, il fallait bien le distraire à présent.

— Je connaissais le poker déshabilleur mais je n'ai jamais joué au strip Trivial.

— On va innover, dit-elle en se levant pour aller chercher le jeu dans sa chambre.

En passant devant le miroir de son armoire, elle comptabilisa ses vêtements. Elle avait deux bottes Manoukian, une jupe plissée noire aux genoux, un chemisier blanc Caroll et des sous-vêtements. Elle s'empara d'un pull et d'un foulard afin de pouvoir augmenter son taux d'échec. Elle revint dans le salon avec le jeu qu'elle installa sur la table basse. Elle lui attribua le camembert bleu et prit le rose, comme pour les papiers peints de chambre d'enfants.

— Alors, dit-elle en lançant le dé, je commence. Cinq. Case jaune : histoire.

Bruno s'empara d'une carte :

— « Dans quelles circonstances Lawrence d'Arabie est-il mort ? »

Il retourna la carte pour voir la réponse et attendit. « Pas de chance », pensa Patricia. Elle n'avait jamais vu le film jusqu'à la fin pour cause d'endormissement.

— Euh, il s'est fait piquer par un scorpion... en plein désert...

— N'importe quoi. Il est mort d'un accident de moto. À poil.

— J'enlève une botte. À toi.

Il lança le dé pour atterrir sur une case géographie. Patricia prit une carte.

— « Quelle est la plus grande île des Antilles ? »

— Cuba ? proposa-t-il sans réfléchir.

Patricia retourna la carte.

— Correct.

Il rejoua. Question : art et littérature.

— « Comment sont *Les Nourritures* d'André Gide ? » Super facile, ajouta-t-elle en frimant.

— Trop cuites, dit Bruno.

— Terrestres, abruti ! À moi.

Il ôta sa chemise pendant qu'elle lançait le dé. Marron.

— Art et littérature pour moi aussi, dit-elle, satisfaite.

— « Quel est le dernier mot de la Bible ? » lui lut Bruno.

Patricia écarquilla les yeux. Voilà une question qu'elle ne s'était jamais posée.

— Euh... « Faites bien tout ce que j'ai dit ? »

— « Amen », pauvre conne !

Elle ôta sa deuxième botte, mécontente.

— Quatre, annonça Bruno torse nu. Vert : sciences naturelles.

Patricia piocha une carte.

— « Qu'est-ce que perd un poisson rouge dans l'eau courante ? »

— Son passeport ?

— Sa couleur, idiot...

Il enleva son ceinturon en gloussant très content de sa vanne. Art et littérature pour Patricia.

— « Quel est le plus haut registre qu'un chanteur puisse atteindre ? » demanda Bruno.

Il s'éventa avec la carte. Patricia réfléchit.

— Une Victoire de la musique ?

— « Haute-contre. » À mon avis, ça doit avoir un rapport avec ses cordes vocales. T'enlèves le pull. À moi. Case rose : divertissement, annonça-t-il en déplaçant son pion.

— « Quel acteur était *Le Cerveau* de Gérard Oury ? » soupira Patricia, trop facile.

— David Niven ! s'exclama Bruno.

— Tout le monde sait ça. Continue.

Il lança le dé.

— Quatre, cinq : camembert jaune ! s'écria Bruno : histoire.

Patricia prit une nouvelle carte :

— « Quelle femme a obtenu deux prix Nobel ? »

— Marie Curie.

— Ouais, lâcha Patricia en retournant la carte.

Le primate était en train de gagner. Il bénéficia de deux autres questions faciles sur le cinéma et la géographie. À la question : « Quelle nouveauté épistolaire fut introduite en Autriche en 1869 ? » la réponse étant : « Les cartes postales » c'est-à-dire introuvable, Patricia dut déboutonner son chemisier de mauvaise grâce. Elle avait un soutien-gorge en dentelle blanc cassé et Bruno se mordit la lèvre inférieure en jetant le dé. Trois. Il avança son pion de trois cases. Jaune. Histoire.

Patricia prit une carte :

— « Qui a été le principal rédacteur de la Constitution de la cinquième république ? »

Bruno eut une moue d'ignorance.

— Michel Debré, répondit Patricia après avoir lu la réponse, tu enlèves le jean…

Bruno obéit. À son tour, Patricia lança le dé pour tomber sur une case sciences naturelles.

— « Qui a inventé la dynamite ? » demanda Bruno.

— Monsieur Fauqueçasaute ? répondit Patricia.

— Alfred Nobel, corrigea Bruno.

— Tiens, je n'aurais pas cru. J'enlève une chaussette.

— Ta jupe, ordonna Bruno. De toute façon j'ai gagné, j'ai un camembert jaune.

Une fois en sous-vêtements, ils restèrent silencieux aux coins opposés du canapé. Soudain le portable de Bruno se fit entendre. Il bondit sur son jean resté à terre, alla chercher son téléphone au fond de sa poche, rangea le préservatif qui en sortait sournoisement et quitta la pièce avant même de dire «allô». Patricia pensa à Antoine, parti s'éclipser dans la salle de bains pour répondre à sa femme. Décidément, elle avait en horreur ces gens qui quittaient une pièce pour répondre au téléphone. Il ne cherchait pas le silence, en l'occurrence, ou du réseau. Non, il ne voulait pas qu'elle entende sa conversation. Pas encore ensemble et déjà des choses à cacher. « Eh bien, tant pis pour lui », songea Patricia en ramassant sa jupe. Si Monsieur avait besoin d'intimité, il pouvait dès lors aller en retrouver chez lui. Il avait déjà Barbara dans sa vie plus une mystérieuse femme mariée, il était inutile de compléter la liste. Il revint dans le salon et avisa Patricia qui se rhabillait.

— Qu'est-ce que tu fais ?

— C'était qui ? Ta vieille peau ?

— Ne l'appelle pas comme ça et quand bien même : où est le problème ?

— Je n'ai plus envie de jouer, dit-elle en boutonnant son chemisier.

— Je veux et puis oh non je veux plus ! minauda-t-il, l'imitant.

— Souvent femme varie…

— Quelle chieuse ! s'écria-t-il en ramassant son jean.

— Je ne t'ai jamais laissé entendre que c'était du tout cuit pour moi, non mais… Tu te prends pour qui ? Il faut me séduire…

— Je rêve ou c'est parce que je suis sorti répondre au téléphone ?

— Mais non.

— Même pas encore sautée et déjà jalouse !

— Pas du tout ! Même si c'est vrai que ça m'énerve… Oh, puis zut, je ne suis pas en manque à ce point-là ! Je n'ai pas l'âge de recevoir des gigolos, moi ! J'aime qu'on me fasse la cour…

Bruno la singea :

— Nia nia nia.

Il finit de se rhabiller nerveusement, remonta ses manches, s'empara de son verre pour le terminer d'une traite et tapa ses mains sur ses cuisses de catcheur :

— Bon, on en reste là. J'ai passé une très bonne soirée. Merci pour le dîner et le jeu de société. La prochaine fois j'amène mon jeu d'échecs ?

— J'apporte si c'est un objet…

— Ta gueule…

— Mais ça t'arrive de faire la cour, tout de même ? demanda Patricia en le suivant dans le couloir.

— À des femmes qui savent ce qu'elles veulent, dit-il en s'arrêtant devant la porte.

— Ça n'existe pas, déclara Patricia.

Il lui tendit la main.

— Ravi de t'avoir revue.

Elle joua le jeu, lui serra la main et referma la porte derrière lui.

Les textos : Compte rendu de Bruno à Barbara

```
Folle ta copine. Me fait mettre à poil en jouant
au Trivial Pursuit. M'allume et décide que non
finalement. Chieuse pro.
```

Compte rendu de Patricia à Barbara

```
Non, alors là non. Pas possible.
```

Besoin d'admirer pour coucher et là suis loin d'être en transe.

Trouve qu'il a le torse d'un type qui ferait de la lutte gréco-romaine. Il est un peu trapu. Ça ne te répugne pas, toi? Franchement?

Moi, je préfère les grandes jambes (genre Antoine), sinon pas méchant mais pas grand intérêt non plus...

PS : il connaît Marie Curie, étonnant, non?

Épisode n° 5 :
Son passage chez Maurice,
un type qui se souviendra
de son anniversaire

Le samedi suivant, la Coccinelle de Sébastien stationna devant chez Patricia aux environs de onze heures. Une surprise attendait les gays friends car Patricia, toujours aussi gentille, avait accepté de garder le berger allemand de sa voisine, une danseuse de cabaret, qu'une répétition urgente pour cause de nouvelle chorégraphie retenait hors de chez elle pour toute la journée. Apprenant que Patricia allait passer le samedi à la campagne, la danseuse lui avait demandé de prendre Tom-Tom avec elle, ça lui ferait du bien au lieu de rester seul et enfermé dans un deux pièces toute la journée. Patricia avait accepté, bien qu'elle ne connût rien aux chiens mais celui-là était, paraît-il, supersage et gentil. Son sac dans une main, la laisse du berger dans l'autre, Patricia fit une petite révérence sur le trottoir pour saluer ses amis. Lucas sortit de la voiture pour l'accueillir. Il portait un pantalon écossais rouge assorti à un béret écossais rouge, lui aussi, et Patricia marqua un temps d'arrêt devant l'accoutrement coloré. Le compagnon officiel de Sébastien n'allait pas passer inaperçu à la garden-party des parents. Patricia monta à l'arrière de la voiture avec le chien.

— Je vous présente Tom-Tom, dit-elle en rabaissant sa jupe, c'est le berger allemand de ma voisine, il a quatre ans et il est très sage. Hein, mon chien? J'espère que ça ne va pas ennuyer tes parents, s'enquit-t-elle auprès de Seb.

— Pas de souci, répondit Seb en regardant le berger allemand dans son rétroviseur.

Tout en grattouillant Tom-Tom, elle leur raconta sa soirée avec Bruno et le coup du Trivial Pursuit déshabilleur qui finit par vous laisser de marbre au lieu de vous exciter. Si la vie n'est pas un Walt Disney, ce n'est pas non plus un film porno. Non mais c'est vrai! Personne ne se tape le livreur de pizzas ou l'installateur du câble. À l'avant de la voiture, Seb et Lucas échangèrent un sourire. Eux devaient avoir quelques souvenirs sexuels et rapides que seule la vision d'un beau torse avait réussi à faire naître...

Oui mais les filles, ce n'est pas pareil. On croit dîner avec quelqu'un de nouveau pour se changer les idées, oublier son dernier désastre amoureux et, résultat, il vous manque encore plus après... Tout ce que vous avez adoré chez votre coup de foudre vous manque cruellement chez l'ersatz de remplaçant et, décidément, non... rien ne va comme on veut, la vie est super mal faite. Patricia tint à peu près une demi-heure sur ce thème avant que le paysage autoroutier ne s'adoucisse pour laisser place à un panorama plus fleuri.

— Mais c'est la campagne! lança Patricia. Tu as vu, mon chien?

Elle l'avait caressé pendant trois quarts d'heure pour sympathiser afin que le chien comprenne bien qu'elle était sa «dog-sitter» pour la journée pendant que sa maman travaillait.

— On est où déjà? demanda-t-elle.

— Dans les Yvelines.

Sébastien observa Lucas. Il était silencieux depuis un bon moment. Cette présentation aux parents le rendait nerveux. Après tout, était-on obligés ? Avec un appartement à Paris, deux boulots, pas d'enfants, plein de copains et la terre entière qui vous fout une paix royale, n'était-ce pas aller au-devant des emmerdes ? Et puis, franchement, le jour des soixante-dix ans du père de Seb ? Était-ce bien choisi ? Happy birthday, papa et, au fait,… oh, là…

— Tout va bien se passer, lui prédit Sébastien en lui serrant le genou. Ne t'inquiète pas.

Il abandonna son genou pour le volant et resta concentré sur la route. Ses parents savaient de toute façon alors, au lieu d'imaginer un fantôme, une ombre mal définie rôder dans la vie de leur fils, autant qu'ils voient le vrai, le très réel et très délicat Lucas.

— Je me disais… On n'est pas obligés…, commença Lucas.

— Bien sûr mais ça compte pour moi, c'est important. Je ne suis pas encore définitivement fâché avec eux, que je sache ? Alors je vais jusqu'au bout. Ils m'aiment comme je suis, non ?

— Ça reste à prouver, dit Lucas d'une petite voix.

— Ne vous inquiétez pas je suis là, tout va bien se passer ! s'écria Patricia en voyant le portail s'ouvrir devant eux.

Une très jolie maison. Une angoisse aussi. Elle rappelait à Patricia la maison d'Éric Hermann : le manoir de la honte, la maison du désert sensuel, la baraque à râteau ! Penser à autre chose. Éric Hermann égale *tabou*. Hop là, retourne dans ton tiroir toi !

Non. Rien à voir. Le jardin était bien plus grand. En cette magnifique journée, la belle demeure familiale regroupait beaucoup de monde pour les soixante-dix ans de Maurice Raulnet, commissaire-priseur de son état. Après s'être garés sur un parking improvisé devant les grilles de la propriété, les trois amis, suivis du chien, s'avancèrent sur le perron. Sébastien cherchait des yeux sa sœur, ses cousins mais ne reconnaissait personne pour l'instant. Timide, Lucas regardait les serveurs en blanc aller et venir dans la maison. Impressionnée, Patricia observait les grandes tentes blanches dans le jardin, espérant trouver très vite une table sympa avec des super bouteilles de bordeaux.

— Voilà mon fils ! s'écria Maurice.

Coupe de champagne à la main, le père de Sébastien s'avança. « Il ressemble de plus en plus au professeur Cabrol », pensa Patricia. Maurice était en compagnie de son avocat et de l'épouse de ce dernier. Le vieux trio monta les quelques marches qui les séparaient du jeune trio.

— Mon fils Sébastien, présenta Maurice à son couple d'amis... *Et sa fiancée Patricia !* enchaîna-t-il tout fier.

Tous deux se précipitèrent sur la main du fiston et de la fiancée... hébétés.

— Seb et Patricia travaillent pour des éditeurs, continua Maurice, imperturbable. Ils sont passionnés par la littérature, charmant n'est-ce pas ?

— Délicieux, confirma la femme de l'avocat en serrant la main de Patricia.

— Belle journée pour annoncer votre mariage, lui chuchota l'avocat avec un clin d'œil. Ça ferait plaisir à futur beau-papa...

— Mes enfants, il y a vos petits noms sur les tables, allez regarder ! lança Maurice en s'éloignant. Sébastien, maman est dans la cuisine avec le traiteur, je vais lui dire que tu es arrivé. Amusez-vous mes enfants !

Et il s'en fut. Avec ses invités souriants. Sur le perron, toujours immobile, la main tendue, la bouche ouverte, Lucas attendait. Que quelqu'un lui serre la main. Lui dise bonjour. Que quelqu'un le voie enfin ! Il y eut quelques secondes d'un silence embarrassant puis Lucas explosa.

— Je suis transparent ou quoi ? Non mais tu as vu ? Vous avez vu ? Personne ne m'a calculé ! Ils m'ont laissé sur le côté sans me voir, sans me saluer...

S'attendant à la grossesse nerveuse, Sébastien réagit :

— Je suis désolé Lucas, c'est bien mon père, ça ! Quel comédien. On avait l'impression qu'il croyait à ce qu'il disait ! *Il sait très bien...*

— Je m'attendais à tout sauf à ça, lâcha Patricia réellement navrée pour Lucas. Et l'autre vieux schnock qui pense que c'est la journée idéale pour annoncer notre mariage ! Tu te rends compte ? Toi et moi...

Elle éclata de rire toute seule. À ses côtés, Lucas continuait.

— Pourtant j'étais là, là, là ! Ici. Il n'a pas pu ne pas me voir ? Je viens de comprendre ce que doit ressentir l'Homme invisible !

Tous deux se collèrent à Lucas pour une bise réconfortante et, bras dessus bras dessous, ils traversèrent la pelouse jusqu'aux grands dais blancs.

— Je vais lui dire, continua Sébastien, lui enlever la merde des yeux une bonne fois pour toutes, tu peux me faire confiance ! Et puis j'adore sa façon aussi de dire : « Ils travaillent pour des éditeurs. » Il n'ose même pas dire « attaché de presse ». C'est un métier de gonzesse pour lui. J'en ai marre des gens qui sont à la traîne de tout. Le monde bouge plus vite qu'eux. Le jour où ils s'en rendront compte, il sera trop tard...

— Je ne suis pas transparent ? demanda Lucas.

— Mais non ! répondit Patricia.

Comment pouvait-il l'être avec un pantalon et un béret écossais rouges ? Sébastien avait prévenu au téléphone : « Je viendrai avec Lucas, *mon* copain, et Patricia. » Son père connaissait cette dernière pour l'avoir croisée plusieurs fois au moment de la sortie du livre sur Matisse qu'il avait préfacé. Il avait forcément entendu : *Lucas, mon copain*, mais avait répondu des : « Très bien, très bien... Je suis content de te voir. » Avait-il fait semblant de ne pas entendre pour faire semblant de ne pas voir maintenant ? Ses parents avaient bien dû mettre son nom quelque part : le copain Lucas n'allait pas rester debout. Sous les chapiteaux blancs, Patricia se mit en quête de leurs places. À vrai dire, elle ne connaissait pas grand monde. Les noms des vieux amis de Maurice ne lui évoquaient pour ainsi dire rien.

Au buffet, Lucas demanda un Martini pour se remettre de ses émotions et Sébastien passa son bras autour de ses épaules, bien décidé à tout assumer aujourd'hui.

Deux minutes plus tard, Patricia revint avec une mauvaise nouvelle. Elle avait trouvé leurs noms à la table d'honneur, seulement il y avait juste écrit : SÉBASTIEN ET SA FIANCÉE PATRICIA. Son père continuait la blague apparemment et Lucas n'existait pas. Ils se dirigèrent vers les places concernées pour le voir de leurs propres yeux.

— Il le fait exprès, lâcha Seb.

— C'est du harcèlement moral, déclara Lucas au bord de l'hystérie. File-moi les clés de la voiture, je rentre !

— Pas question. On va arranger ça, rétorqua Sébastien. On va pousser les assiettes et te faire une place.

— Je peux même te laisser la mienne, proposa Patricia. Je n'aurai qu'à me trouver une autre table.

Elle lorgnait déjà un groupe de jeunes gens près du buffet au style un peu dandy rock et aux éclats de rire turbulents.

— Franchement, ça ne me dérange pas, conclut-elle en continuant à les regarder.

— Tu ferais ça ? demanda Lucas, reconnaissant.

— Bien sûr, il est temps de faire comprendre à Maurice que je ne suis pas fiancée à son fils... ni à personne d'autre d'ailleurs. Je suis dans une sale année niveau fiançailles ou, devrais-je dire, une sale décennie, je ne sais pas…

— Pas trop de lucidité, déclara Seb.

— Tu as raison, ça fout le cafard. Je vais aller demander aux jeunes là-bas s'ils peuvent me faire une petite place. Tu les connais Seb ?

— Pas trop. Ce sont les fils des amis de mes parents, ils ont vingt ans. Patricia, je ne veux pas t'imposer un déjeuner avec eux. Quelle purge ! Reste avec nous…

— Non, c'est bon, ça va me distraire, répondit-elle en se dirigeant vers le buffet.

Depuis combien de temps n'avait-elle pas côtoyé de si jeunes minets étudiants ? Patricia tenta de calculer, ça faisait quoi : dix, douze ans ? La réponse était jamais, constata-t-elle en s'approchant d'eux. Ils avaient le tampon : bonnes familles et prépas grandes écoles, et, n'ayant jamais appartenu ni aux unes ni aux autres, c'est avec une certaine gêne qu'elle s'approcha des étudiants en commerce et économie. Elle sympathisa assez vite avec un dénommé Stanislas, looké Beatles 1962, à qui elle expliqua sans ambages qu'elle avait cédé sa place au mec de son gay friend parce que Maurice, le héros de la fête, ne voulait rien entendre à propos de l'homosexualité de son fils. Le dénommé Stanislas lui promit une place à ses côtés, ravi d'entendre ce qu'il savait déjà. Il partit sur-le-champ le répéter à l'oreille d'une certaine Sophie-Amélie qui leva les yeux au ciel, trop politiquement correcte pour faire le moindre commentaire. Stanislas était le fils d'un homme d'affaires ruiné dont Maurice avait dû vendre tous les meubles aux enchères, c'est ce qu'apprit Patricia en s'installant à la table.

La foule se dirigeait lentement sous les tentes et les invités cherchaient leurs places dans un joyeux brouhaha. Patricia regarda en direction de la table de Maurice. Seb et Lucas étaient déjà assis comme si de rien n'était. Lucas n'était plus transparent pour tout le monde car face à eux une femme sous un grand chapeau rose posa une question discrète à l'oreille de son voisin en fixant Lucas et son béret rouge. Patricia jeta aussi un regard à Tom-Tom qui s'était allongé sagement dans l'herbe, profitant des rayons du soleil printanier. Parmi les convives, elle aperçut Flora, la jeune sœur de Sébastien, qui lui sourit en s'avançant vers elle.

— Sympa que tu sois venue, dit-elle en l'embrassant. Il y a du grabuge, mes parents viennent encore d'avoir une dispute. Ma mère est montée dans sa chambre et refuse d'en sortir.

— Ah bon ?

— Où est Seb ?

— À la table de ton père, j'ai laissé ma place à Lucas...

— Lucas est ici ?

— Oui...

— Oh là !

De loin, Patricia vit qu'on installait une petite estrade comme pour un spectacle.

— Il va y avoir des musiciens ? demanda-t-elle à Flora.

— Non, un magicien, répondit la fille de Maurice.

— Un magicien ? Ça fait un peu goûter d'enfants...

— En fait, c'est plutôt un dompteur. Il a un hamster incroyable qui fait des tours de magie. Il se met debout et avec une adresse et une habileté hors du commun, il exécute des tours avec ses petites pattes, on dirait un humain, c'est hallucinant... On a découvert ce numéro dans un cabaret et depuis mon père fait appel à lui à chaque fête. Il est fou de ce hamster. Il était prêt à dépenser une fortune pour l'avoir mais Boris, le dompteur, refuse de s'en séparer. Il l'adore et puis c'est son gagne-pain...

Patricia avait hâte de découvrir cette petite bête prodigieuse. Flora s'éloigna après avoir embrassé Stan, lui intimant de prendre soin de sa voisine. Apparemment, Marie-Claire, la mère de Seb continuait à bouder car à la table d'honneur, la place voisine de celle de Maurice restait désespérément vide. L'assemblée, constituée en grande partie de collectionneurs d'art aux goûts très sûrs et aux résidences nouvellement helvétiques, semblait raffinée, hautaine, peu chaleureuse mais ça allait certainement se dégeler avec l'arrivée de grands bordeaux que les serveurs déposaient rapidement sur les tables. Patricia observa les dandys sans oser parler. Le jeune Stanislas venait de lancer la conversation sur les retraites de tous ces vieux cons qu'ils allaient devoir payer à vie. Patricia se leva pour se diriger vers les buffets, une assiette à la main. Elle se plaça dans la file, captant des bouts de conversation autour d'elle. Devant elle, un petit groupe entourait un type au look excentrique. Une star apparemment, enfin quelqu'un qui comptait dans ce métier. Un créateur d'événements artistiques, c'est ainsi que l'homme se définissait. Puis il expliqua que son job consistait à découper des Harley Davidson dans le sens de la longueur. L'on pouvait s'acheter une tranche de Harley et la coller au plafond de son loft à New York, ça se faisait beaucoup… à New York. Sinon, il était aussi vidéaste. Il filmait des arbres qui perdaient leurs feuilles, des fleurs qui poussaient, des passants qui passaient et des patients qui patientaient. Intéressant comme film, diffusé en accéléré, il plongeait les spectateurs dans une torpeur hypnotique. Patricia soupira. Il n'y avait pas de minimum syndical au foutage de gueule dans l'art contemporain. L'art comptant pour rien. Elle se servit quelques crudités, du jambon de Parme et regagna sa table où les jeunes s'étaient lancés dans une discussion sur «les stratégies et territoires des entreprises dans le cadre de la nouvelle division internationale du travail» sans adresser le moindre regard à Patricia depuis qu'elle leur avait annoncé «qu'elle faisait attachée de presse» dans l'édition. Son boulot consistant à accompagner des écrivains à la télévision et à attendre dans la loge qu'ils aient fini de se faire déglinguer, elle n'intéressait que très moyennement ce genre de merdeux en prépa HEC, libéraux, mondialistes thatchéristes, promouvant le libre-échange et la concurrence. Patricia put constater que tous les jeunes ne faisaient pas partie de la gauche antilibérale et, sa dernière bouchée avalée, elle se leva pour rejoindre ses gays friends.

— Tout se passe bien ? demanda-t-elle en massant les épaules de Lucas. Dis donc tu es noué.

— *Son* père fait toujours semblant de ne pas me voir, dit Lucas en se retournant vers Patricia qui continuait son massage.

— Au dessert, vous vous levez et vous faites une déclaration, proposa-t-elle. Devant ses amis, il sera bien obligé de vous écouter et là vous annoncez que vous vivez ensemble depuis deux ans, vous balancez tout. Clair et net.

— J'en rêve, répondit Lucas en poignardant une pomme de terre d'un coup de fourchette.

— Qu'est-ce qu'il se passe avec ta mère ? demandat-elle à Seb.

— Je n'en sais rien. Elle fait la gueule comme d'hab'. Dès qu'il y a une fête, elle s'arrange pour bouder dans sa chambre. Elle nous a encore fait le coup au réveillon cette année…

— Ah, les couples hétéro, ça donne envie ! articula Lucas, le bout de pomme de terre trop chaud dans la bouche.

— Va la voir.

— J'attends la petite attraction : Boris et le Roi Arthur, dit Seb. C'est un hamster fabuleux qui…

— Je sais, ta sœur m'a raconté, le coupa Patricia. C'est le hamster qui s'appelle le Roi Arthur ?

— Oui, il est incroyable. Il faut absolument que vous voyiez ça. Il est passé dans le « Grand Cabaret » de Patrick Sébastien. Ce hamster, comment dire, ce n'est pas une bête, c'est… du jamais-vu. Son dresseur va le faire passer à toutes les tables : vous allez voir ses petits sauts périlleux arrière et ses tours de magie, c'est trop mignon.

— J'ai hâte, bâilla Patricia. À vrai dire, je m'emmerde un peu à ma table. Les jeunes, pas très fun, en fait. Les filles surtout, elles sont sérieuses ! J'ai l'impression qu'on se marrait plus, nous, à vingt ans...

À trente-trois ans, sans être forcément passéiste, on pouvait déjà se lancer dans le couplet : C'était mieux avant...

On était fêtards et insouciants,
On avait moins peur de l'argent,
De ne pas trouver d'appartement,
De ne pas faire 2, 1 enfant,
On fumait de tout en s'en foutant,
Immatures et inconscients,
Non franchement, c'était mieux avant...

— La jeunesse est lugubre, approuva Lucas.

— Celle de ma table est dorée, très branchée réussite, pognon, économie mondiale. Ils ont dû avoir des parents un peu absents, suggéra Patricia.

— Ou ils ont eu des parents très branchés réussite et pognon, déclara Seb qui savait de quoi il parlait, lui qui avait préféré l'EFAP à la haute finance...

— Voilà Boris ! s'écria Maurice en se levant.

Il avait l'air fou de joie subitement, oubliant presque l'absence remarquée de sa femme et la présence non moins remarquée du « fiancé » de son fils.

— Je retourne à ma place, lança Patricia en s'éloignant au pas de course.

Le dresseur serbe monta sur l'estrade avec une petite cage recouverte d'un drap. Le brouhaha du déjeuner cessa presque aussitôt devant la présence imposante et sévère du dompteur au regard noir et à la moustache fine.

— Mesdames et messieurs, commença l'homme de cirque avec un fort accent des pays de l'Est, je vous présente le très fameux Roi Arthur !

Il ôta d'un geste le drap de la cage et l'assemblée se mit à applaudir comme des enfants devant Guignol.

Peu à peu les applaudissements s'estompèrent devant une cage... vide. Un léger murmure se fit entendre dans l'assistance.

« Il n'y a rien dans sa cage, elle est où sa bestiole ? »

Le Serbe blêmit en découvrant la cage désertée de sa vedette internationale :

— Sa Majesté le Roi Arthur, s'écria-t-il, mais où êtes-vous donc passé ?

L'assemblée silencieuse et déconcertée attendait. Le Serbe regardait partout autour de lui puis il paniqua :

— Il était là il y a une minute...

— Tu crois que ça fait partie du numéro ? demanda le jeune Stanislas à sa voisine.

— Aucune idée, répondit Patricia, en allumant une cigarette.

Soudain, elle sentit quelque chose de moelleux et d'agréable lui chatouiller le gros orteil. Comme si on déposait une peluche sur sa sandale. Patricia repoussa un pan de la nappe et découvrit avec horreur Tom-Tom lâchant à ses pieds le cadavre ensanglanté du hamster. Cette vision lui dressa les cheveux sur la tête. Le Roi Arthur avait quasiment été décapité par les crocs du berger allemand qui, s'allongeant aux côtés de sa proie inerte, attendait les félicitations de sa dog-sitter pour cette chasse inattendue. Malgré ses dons, son génie, la petite bête n'avait pas pu lutter contre l'immensité et la cruauté instinctive d'un berger allemand. Sur la petite scène de fortune, la panique du dresseur était maintenant à son comble. L'angoisse de Patricia fut tout aussi forte. Dans un réflexe idiot, elle envoya un coup de pied sous la table propulsant la petite boule de poils ensanglantée dans les pieds de la très chic Sophie-Amélie. Sentant à son tour quelque chose sur ses sandales italiennes finement lacées autour de la cheville, elle s'abaissa et avisa sous la table le hamster au cou sanguinolent. Comme si on venait de lui servir un rat crevé dans son assiette, Sophie-Amélie se redressa et poussa un hurlement à affoler des satanistes. Les gens se levèrent d'un bond.

— Mais qu'est-ce qu'il se passe ? hurla Maurice.

La panique gagnait les invités dont le sang se glaçait à chaque cri strident de Sophie-Amélie. Du doigt, cette chieuse un peu trop émotive désigna le hamster gisant dans l'herbe. Ce fut comme si l'on découvrait un cadavre humain, pire peut-être. Il y aurait eu moins d'esclandre si on avait trouvé le cuistot égorgé sous la table. Patricia sentit sa nuque se mouiller de sueur tandis que l'attroupement s'intensifiait autour d'elle. Inutile d'appeler la police scientifique pour résoudre ce crime atroce. Le berger allemand, la langue pendante, assoiffé par sa chasse, observait perplexe les mines douloureuses des convives, des traces d'ADN du hamster autour du museau. Les regards atterrés se muèrent en regards de haine devant le meurtrier canin qui les scrutait intensément.

— À qui est ce chien ? hurla-t-on dans la foule.

C'était exactement la phrase que Patricia redoutait.

— C'est moi qui le garde, avoua-t-elle dans la douleur. Mais je ne le connais pas, c'est le chien de ma voisine, elle est danseuse, elle avait une répétition aujourd'hui et…

Tout le monde se foutait de sa voisine et de son emploi du temps. Si elle avait la responsabilité de ce chien, même pour un après-midi, alors elle en était responsable ainsi que de ses actes. Le dresseur serbe franchit l'attroupement pour découvrir son Roi Arthur sans vie. Il s'agenouilla et étouffa un cri de détresse en recueillant sa petite dépouille dans le creux de sa main.

— Je suis vraiment désolée, lâcha Patricia la mine contrite.

Elle était sincère et pria pour que le Serbe ne les égorge pas – elle, le chien ainsi que les gens qui avaient osé les inviter – car Boris arborait un drôle de poignard à la taille. Accessoire quelque peu inutile pour un dompteur de hamster… Toujours est-il que l'homme éclata en sanglots devant sa boule de poil. Patricia ne sentait plus ses jambes, son malaise grandissant semblait la priver d'afflux sanguin. L'homme allait devoir changer de boulot, se reconvertir en lanceur de couteaux ou cracheur de feu.

— Je suis vraiment désolée, recommença-t-elle auprès de Maurice, arrivé rouge cramoisi sur les lieux du drame, furieux d'être privé de son numéro de cirque préféré.

Le père de son meilleur ami ne mâcha pas ses mots pour lui dire ce qu'il pensait d'elle, de sa fête qu'elle avait gâchée, de son amitié avec le grand dompteur qu'elle venait de ruiner, et de ce hamster adoré que son connard de chien avait bouffé, privant le monde entier d'un spectacle éblouissant. Patricia sentit ses yeux et sa gorge la brûler. Sébastien et Flora s'empressèrent de calmer leur père. Ce n'était pas de la faute de Patricia, elle ne pouvait pas savoir, la pauvre, en plus ce n'était même pas son chien, elle le gardait juste pour être gentille et voilà le résultat…

Patricia laissa une larme sillonner sa joue. Non, elle n'y pouvait rien. Pour une fois qu'elle n'était pas saoule comme une Polonaise, enchaînant les bévues, il fallait que l'émeute vienne du chien dont elle avait la garde.

Lucas la prit dans ses bras : « Toute cette pagaille pour un hamster… », lui murmura-t-il à l'oreille, pas mécontent qu'un autre scandale, autre que sa présence, éclate. Les gens, occupés à consoler le dresseur, à calmer Maurice et à déblatérer sur l'irresponsabilité de Patricia, avaient cessé de le considérer d'un œil interrogateur. Il était redevenu anonyme pour un temps et c'est tout ce qu'il voulait. Patricia sécha ses larmes avec sa serviette de table et s'agenouilla près du chien qu'elle empoigna par le collier :

— Pourquoi tu as fait ça Tom-Tom ? Tu te rends compte de la mouise dans laquelle tu me mets ? Hein ? Il ne t'avait rien fait ce hamster ?

Mais le berger allemand, la langue toujours pendante et haletante regardait dans la direction opposée, à l'affût d'un oiseau téméraire qui cherchait au pied d'un arbre une brindille pour son nid. Le prédateur était prêt à rebondir.

— Mais pourquoi tu es comme ça ? gémit Patricia.

Autant demander à la Nature pourquoi elle était « comme ça ». Elle se releva, tenant fermement le collier :

— Il a soif, dit-elle à Lucas. Je n'ose pas demander de l'eau pour lui. On va me dire « Qu'il crève ! » non ?

— On n'a qu'à filer discrètement vers la cuisine, proposa Lucas. Je t'accompagne.

Ils s'éclipsèrent sous les regards outrés et condescendants des convives qui, pour la plupart, s'étaient rassis en attendant le gâteau. Il y a fort à parier qu'au Moyen Âge la meute aurait déjà installé une potence pour le chien et Patricia. Elle traversa la pelouse, retenant toujours Tom-Tom par le collier, suivie de Lucas.

— Je croyais que c'était plutôt les chats qui rapportaient mulots, souris ou hamsters, déclara Lucas.

— Moi aussi, répondit Patricia en hâtant le pas. Je ne me suis pas méfiée, jamais je n'aurais imaginé…

Elle ne termina pas sa phrase, inutile de revenir sur l'esclandre – trop douloureux.

— En tout cas, j'ai vu le père de Seb en pleine crise de nerfs, dit Lucas. Il peut être mauvais, le vieux. Comment il t'a crié dessus, ma chérie ! Je ne crois pas que je vais faire de discours finalement sur mes projets d'avenir avec son fils…

— Non, vaut mieux pas…

Ils gravirent le perron et entrèrent dans la grande cuisine où l'un des traiteurs, tout de blanc vêtu, s'arrachait les cheveux en tentant de recompter pour la quatrième fois les soixante-dix bougies de Maurice mais le même serveur-farceur revenant le chatouiller, il lui fallait recommencer depuis le début…

— Vous n'avez pas une écuelle, un bol quelque chose pour mettre de l'eau ? demanda Patricia. C'est pour mon chien, il a super soif…

— C'est le chien assassin ? demanda le serveur-farceur en tendant un petit saladier à Patricia.

Décidément, les nouvelles allaient vite. Les mains sur les genoux, le serveur se pencha vers le berger allemand.

— On en a fait des bêtises aujourd'hui ! Comment il s'appelle le vilain toutou ? Jack l'Éventreur ?

— Tom-Tom, dit Patricia. Il n'est pas méchant, il ne se rend pas compte, c'est tout…

— C'est ce que le psy a dit au juge à propos de mon beau-frère quand il a planté ma sœur avec son canif, reprit un autre homme en blanc…

Soudain deux serveurs sortirent du réfrigérateur un gâteau assez spectaculaire. Une pièce montée noir et blanc : un côté fourré au chocolat et l'autre à la vanille, une création du dernier designer de chez Lenôtre. Tom-Tom se redressa et émit un gémissement d'admiration en découvrant le chef-d'œuvre culinaire. Patricia empoigna à nouveau son collier, il ne fallait pas rester une seconde de plus dans cette cuisine.

— Je vais le faire boire à l'étage, déclara-t-elle. J'ai peur qu'il saute dans le gâteau. Ce serait le bouquet…

— D'accord, approuva Lucas, je reste là… aider…

Elle s'éclipsa vers les escaliers, son saladier sous le bras et le chien tenu fermement. Une fois dans la salle de bains, elle ferma la porte, ouvrit le robinet d'eau froide, déposa le récipient par terre et s'assit sur le rebord de la baignoire pour regarder Tom-Tom se désaltérer à grands coups de langue.

— Encore bravo, soupira-t-elle.

Soudain, elle entendit des rires en provenance de la chambre voisine – celle des parents. Elle tendit l'oreille. La femme de Maurice avait cessé de faire la tête, apparemment. Était-elle au téléphone ? Patricia se redressa. Marie-Claire n'était pas au courant de l'esclandre, en cela elle devenait une amie pour Patricia qui avait besoin de réconfort. Elle se leva, décidée à aller la saluer. Elle s'apprêtait à saisir la poignée quand la porte s'ouvrit brutalement et heurta de plein fouet le nez et la lèvre supérieure de Patricia. Le choc l'envoya valdinguer sur le carrelage, dans les pattes de Tom-Tom qui continuait à boire sans se soucier d'elle.

— Pardon, entendit-elle, je ne savais pas qu'il y avait quelqu'un...

Elle se redressa sur un coude, la main sur le visage :

— J'ai mal...

Elle ôta sa main et se frotta le nez en s'asseyant. Elle crut à une hallucination due au choc : dans l'embrasure de la porte, se tenait Bruno le dépanneur, mister Diable au corps, séducteur de ses dames encore en caleçon mais sans avoir fait de Strip Trivial cette fois-ci.

— Je rêve. Qu'est-ce que tu fous ici ? dirent-ils ensemble.

Bruno se précipita pour la relever :

— Pas de gaffe, dit-il, je suis chez ma meuf...

— C'est Marie-Claire, la mère de mon meilleur ami, que t'appelles ta meuf ? Ne me dis pas que c'est elle, gémit Patricia en se relevant...

— Ben si. Je ne savais pas que tu la connaissais...

— Ce n'est pas vrai... C'est elle dont tu me parlais ? Dont tu escalades le balcon ?

— Oui, à Paris, mais là je suis passé par la porte, personne ne m'a vu...

— Tu sais que son mari est dehors avec tous ses amis ? C'est son anniversaire, vous êtes complètement dingues !

— Je sais, c'est justement pour ça qu'elle m'a dit de venir, ça l'excite...

— Mais vous êtes pervers ? Pourquoi refuse-t-elle de descendre ?

— Elle dit qu'elle a eu sa maîtresse ce matin au téléphone…

— La maîtresse de Maurice ?

— Oui, une galeriste. Disons que sa maîtresse est un bien grand mot. Le vieux doit aimer se faire mâcher de temps en temps.

— Tes expressions me répugnent.

— Marie-Claire pense que la galeriste a fait exprès d'appeler ici, à la campagne, pour tomber sur elle. Résultat, ils se sont bien engueulés et elle est partie s'enfermer dans sa chambre mais, de toute façon, elle ne voulait pas de cette fête. Les copains du vieux elle ne peut plus les supporter…

« Nono, qu'est-ce que tu fais ? » entendirent-ils en provenance de la chambre. Marie-Claire fit alors son apparition dans la salle de bains vêtue d'une belle nuisette mauve qui rappela à Patricia celle qu'elle avait achetée pour son week-end inoubliable (le premier) et qu'elle tentait de revendre sur eBay.

— Tiens Patricia, comment ça va ? dit Marie-Claire, à peine confondue qu'on la surprenne dans cette tenue.

— Bonjour madame, répondit Patricia.

— Vous avez fait connaissance ? lança Marie-Claire en vérifiant dans le miroir que ses poches sous les yeux qu'elle avait fait enlever il y a deux mois n'étaient pas revenues…

— On se connaît déjà un peu, avoua Bruno. Patricia est une copine de mon ex, Barbara…

« Ex, c'est vite dit », pensa Patricia.

— Comment ça se passe en bas ? demanda Marie-Claire en tâtant ses paupières qu'elle avait fait remonter il y a trois semaines.

— Oh, ça va, répondit Patricia, le gâteau va arriver, je crois bien…

Elle ne désirait pas évoquer la pagaille. Elle avait la sensation d'être la spectatrice d'un Feydeau qu'on aurait fait venir sur scène. Elle n'avait rien à faire ici. Marie-Claire affichait une belle assurance, de

126

celle à qui on a du mal à rétorquer quoi que ce soit. Si l'expression du moment pour Patricia c'était « tant pis », celle de Marie-Claire devait être « et alors ? ».

« Je vais avoir soixante et un ans, je suis encore très belle, j'ai un amant qui a vingt-deux ans de moins que moi : Et alors ? »

— Votre mari et vos enfants sont en bas, commença Patricia, il ne faudrait pas qu'ils vous voient… comme ça…

— Mes enfants sont grands, ça ne va pas les traumatiser et mon mari l'a bien cherché, crois-moi, dit-elle calmement. Néanmoins, j'ai un peu faim, on va peut-être descendre manger quelque chose, hein Nono ?

— Si tu veux, répondit Bruno.

On va peut-être descendre ? Tous les deux ?

Patricia resta interdite. Avec un espoir néanmoins. Si Marie-Claire allait se pavaner au milieu des amis de Maurice avec son jeune amant, l'humiliation du mari serait telle que le coup du hamster serait reclassé en seconde position dans la série des scandales de la journée. Elle pensa à Seb. Lui et Lucas passaient en troisième position, finalement.

Vivement que la journée se termine !

Et Tom-Tom ? Patricia se retourna. Il avait disparu. Elle sentit une boule se reformer dans son estomac. Après s'être désaltéré, le chien était tranquillement sorti de la salle de bains. Mon Dieu, le gâteau !!! Patricia se rua dehors à sa recherche. Elle descendit les escaliers en criant son nom. Ses sandales crissèrent sur le sol lorsqu'elle dérapa devant la cuisine. La pièce montée post-moderne était toujours là, toutes les bougies étaient maintenant en place et prêtes à être allumées. Ouf, l'œuvre d'art pâtissière était bien gardée. Les serveurs s'affairaient autour en se demandant comment ils allaient transporter ce gâteau dans le jardin. Patricia respira profondément. Le chien devait être dehors, allongé sagement quelque part, après tout il en était capable aussi…

— Tu n'as pas vu mon chien? demanda-t-elle à Lucas qui discutait avec le petit personnel. Je l'ai perdu…

— Oh, ce n'est pas vrai!

— Ce n'est pas de ma faute, j'étais là-haut avec Marie-Claire qui ne fait plus du tout la gueule, figure-toi. Elle a fait venir un mec…

— Ce n'est pas vrai? répéta Lucas.

— Si, le type dont je vous parlais dans la voiture, le fuck friend de Barbara. Elle l'a prêté à Marie-Claire. Elle le refourgue à tout le monde de toute façon. C'est fou la vie, non? Ne le dis pas à Seb, le pauvre… Surtout que sa mère a l'air bien disposée à emmerder le monde aujourd'hui…

Patricia sortit dans le jardin. Vue de loin, la fête semblait parfaite, les gens souriaient, assis aux tables fleuries. Sur la scène, un vieil ami de Maurice, conservateur de musée, avait pris un micro pour raconter comment ils s'étaient connus et déclinait toutes les qualités de Maurice, à l'exception de l'argent. Patricia regagna sa place sans se soucier des têtes qui se retournaient à son arrivée et écouta les discours amicaux. L'homme sur scène passa le micro à une autre vieille connaissance de Maurice, un antiquaire aux cheveux blancs, qui se mit lui aussi à énoncer la grande culture de Maurice, son bon contact avec le public, son sens de la mise en scène lors de ses ventes aux enchères et ses compétences en matière de peinture, de sculpture et d'objets d'art de toute sorte, surtout pour la période XIXe, XXe siècle…

Patricia apprit ainsi que Maurice était un homme vraiment gentil, généreux, un mécène altruiste qui s'intéressait à tout, même aux problèmes écologiques, qu'il était infiniment raffiné et cultivé, il avait fait du latin et du grec quand il était étudiant…

Voulant amuser sa tablée de jeunes qui devaient s'ennuyer à ce discours, Patricia lança :

— Allez remets-lui donc une autre couche ! Il l'aime son Maurice ! Mais quel lèche-cul ce type !

Les cheveux noirs au carré de Sophie-Amélie effectuèrent une volte-face :

— C'est mon père ! répliqua-t-elle, outrée.

— Pardon…

Patricia laissa finir l'antiquaire et apprit que Maurice était aussi un fin connaisseur en vins, il avait une des meilleures caves de France et c'était également un redoutable marin. Son vieil ami pouvait en témoigner, il l'avait vu à l'œuvre quand il avait été invité sur son voilier à Arcachon…

— Tu parles, ils sont restés au port à boire des coups ! s'écria une voix.

Marie-Claire venait de faire son entrée parmi les invités dans une petite robe Lolita Lempicka et s'installa à la table des jeunes, une assiette à la main. De loin, Maurice lui jeta un regard fâcheux, mauvais, noir, malveillant, glacial…

— Parlons-en de ce voilier, enchaîna-t-elle sans se démonter, quelle pompe à fric ! Mais que voulez-vous, il lui sert de baisodrome quand on est en vacances !

L'antiquaire au micro, sentant l'embarras, tenta de couvrir les mots de l'épouse aigrie. Il poursuivit en parlant bien fort et déclara que la grande fierté de sa vie était de faire partie des amis de Maurice. Il conclut son discours sur cet homme exceptionnel et descendit de la petite scène sous un tonnerre d'applaudissements parmi lesquels ceux de sa fille qui lança un regard méprisant à Patricia.

À la table des jeunes, Marie-Claire continuait son cirque et demanda à Sophie-Amélie de se pousser un peu car elle voulait que son « ami » soit assis à côté d'elle. La jeune fille obéit, profondément choquée par l'attitude de l'épouse. Bruno s'installa, une assiette à la main lui aussi, et salua tout le monde.

Ils avaient pété un câble tous les deux. Flora, la jeune sœur de Seb, surgit, inquiète :

— Maman, je peux savoir ce qu'il se passe ?

— Mais rien du tout, ma chérie, répondit Marie-Claire en croisant ses belles jambes. Tout va bien, mon cœur !

— Tu as l'air bizarre…

Flora croisa le regard de Sophie-Amélie qui lui désigna d'un petit coup d'œil en biais la présence incongrue du type à côté d'elle. Flora dévisagea Bruno sans comprendre puis elle s'éloigna n'osant questionner sa mère devant les gens. Patricia, ainsi que son voisin, le jeune Stanislas, étaient tétanisés. Les étudiants bourgeois semblaient pétrifiés à l'exception d'un petit jeune qui gloussa et faillit s'étouffer, tout rouge avec un morceau de brie dans la bouche. Personne n'osait parler, heureusement le brouhaha ambiant couvrait les silences embarrassés de la tablée. La gêne fut interrompue par l'arrivée d'un Lucas haletant.

— Patricia ! *Ton* chien !!!

— Quoi encore ! Où il est ?

— Viens voir…

Patricia se leva d'un bond sentant la boule se reformer dans son estomac. La crise d'angoisse, voire de panique, n'était pas loin. Elle suivit Lucas en courant jusqu'à la maison. Il entra dans le grand salon, talonné par Patricia et s'arrêta pour la laisser découvrir le carnage. Dans le salon, s'empilaient tous les cadeaux que Maurice allait recevoir, une fois le gâteau servi. Il y en avait une bonne vingtaine et Tom-Tom avait jeté son dévolu sur un des présents. Il avait littéralement massacré un des cadeaux, arrachant le papier autour et grattant l'objet avec ses pattes. C'était un tableau. Pourquoi ce chien s'escrimait-il sur une toile ? Le souffle coupé, Patricia pria pour que ce ne soit pas une toile de maître valant une fortune. Elle empoigna le berger allemand par le collier et lui fila une tape sur le postérieur :

— Tu arrêtes ! hurla-t-elle. Tu arrêtes, je n'en peux plus.

Le berger allemand émit alors un grognement très menaçant à l'attention de sa dog-sitter. Effrayée, Patricia le caressa là où elle l'avait tapé comme pour s'excuser. Lucas s'agenouilla pour contempler le pillage et prit le tableau dans ses mains :

— On ne voit plus trop ce que ça représente maintenant, ça devait être des ronds. Oui, des grands ronds de toutes les tailles. C'est de l'art moderne, je n'y connais pas grand-chose…

— Mais qu'est-ce que vous faites ? Je vous cherche partout…

Les deux têtes se retournèrent à l'entrée de Sébastien.

— Oh, Seb, je suis tellement désolée, dit Patricia en se redressant. Le chien s'est attaqué à un des cadeaux de ton père, il a plus ou moins becqueté un tableau, je ne comprends pas pourquoi…

— Viens voir chéri, dit Lucas.

Sébastien s'approcha et mit brusquement sa main devant sa bouche en constatant les dégâts. Patricia sentit la panique gagner son ventre.

— C'est grave ? Ça vaut cher ce truc, tu crois ?

Sébastien s'agenouilla à côté de Lucas.

— Je sais pourquoi il a fait ça, annonça Seb en regardant la signature au bas du tableau ou de ce qu'il en restait. Ricardo Belafisto, c'est un peintre bolivien abstrait très particulier. Il peint avec des aliments. Vous voyez ce jaune-là, c'est fait avec de l'huile et du jaune d'œuf, le rond rouge au milieu c'est du sang de cochon et le cercle marron autour, je crois que c'est réalisé avec du boudin… Mon père possède déjà une de ses toiles dans son bureau, à côté du fameux tableau blanc, cher à Yasmina Réza…

Le jaune avait été léché par Tom-Tom, le rouge au milieu : gratté avec ses griffes et la partie boudin avait carrément été boulottée, il en manquait des bouts comme en témoignaient les trous au milieu de la toile…

— Quelle connerie ! s'écria Patricia. Il ne peut pas s'acheter de la peinture ce mec !

— Il est très coté en ce moment…

— Très coté ? reprit Patricia alarmée. Il vaut combien ce tableau ?

— Dans les vingt mille euros, je dirais, pronostiqua Seb.

— Quoi ? hurla Patricia. Vingt mille euros pour un peintre bolivien qui peint avec de l'andouillette ?? Tu te fous de ma gueule ?

Elle s'écroula dans un des canapés, le visage dans ses mains :

— Je ne pourrai jamais rembourser ton père, gémit-elle. Je suis plus fauchée qu'un champ de maïs transgénique. Je suis même à découvert sur mon Codévi…

Toujours à genoux, Lucas s'empara du papier cadeau qui avait jadis entouré l'œuvre d'art. Il l'examina dans tous les sens.

— Il y a une carte : « Bon anniversaire, Maurice. » C'est signé Armelle. Il y a l'adresse d'une galerie dans le huitième, regarde, dit-il à Seb.

Sébastien prit le papier-cadeau et examina la carte de visite restée collée dessus :

— Je ne vois pas qui ça peut être, cette Armelle, murmura-t-il perplexe. Écoutez, je vais cacher le tableau dans mon ancienne chambre. Mon père l'a vaguement transformée en salle de gym-chambre d'amis mais il y a toujours mon lit, je vais le planquer dessous en attendant. Si cette Armelle vient chercher son cadeau pour l'offrir, tant pis on dira qu'il a été volé…

Patricia se redressa :

— Tu ferais ça ? Oh merci, dit-elle en se levant et en se précipitant dans les bras de Sébastien. Tu me sauves la vie…

— Je sauve Tom-Tom surtout. Si mon père voit ce qu'il a fait à ce tableau, après le coup du hamster, j'ai peur qu'il aille chercher sa Winchester dans le garage...

— Maintenant Patricia, je t'en supplie va chercher sa laisse et attache-moi ce chien quelque part, déclara Lucas en se relevant. J'en peux plus de ses conneries...

— D'accord. Je ne comprends vraiment pas, il était censé avoir bien mangé ce matin avant de partir...

Sébastien prit la toile et le papier-cadeau sous son bras et s'arrêta devant Patricia.

— J'ai vu que ma mère était revenue, dit-il tout bas. Elle est à ta table. Elle va bien ?

— Oui, ça va. Elle semble un peu fâchée contre ton père, mais bon...

— Ça ne date pas d'aujourd'hui. Elle a bu ? Elle est arrivée en gueulant je ne sais quoi, on n'entendait pas dans le fond...

— Elle a fait une réflexion pas gentille sur le voilier de ton père...

— Tu peux t'occuper d'elle ? L'avoir à l'œil ? Après la chirurgie esthétique, son autre passion, c'est les anxiolytiques alors si elle les mélange avec le champagne...

— D'accord mais euh... J'ai déjà le chien, mais je la surveille, promis...

Sébastien s'éclipsa pour monter à l'étage dissimuler le tableau dévoré. Patricia rejoignit Lucas à l'extérieur. Sur le perron, tous les jeunes serveurs en blanc se tenaient autour du gâteau, illuminé des soixante-dix bougies. Comme un seul homme, ils entonnèrent un « Joyeux anniversaire » en avançant délicatement avec l'immense pièce montée fourrée chocolat-vanille. Les invités tournèrent la tête avec surprise et lancèrent des cris d'admiration. Patricia et Lucas n'eurent d'autre choix que de se glisser dans la lente procession. Le chant fut repris par les invités et Maurice, roi de la fête, se leva pour accueillir le cortège. Il fronça le sourcil en découvrant que les deux personnes qu'il pensait avoir fait fuir : Lucas en l'ignorant sauvagement et Patricia en l'engueulant sévèrement, étaient non seulement restés mais lui apportaient son gâteau avec les serveurs. Même le sale chien assassin était encore là. Discrètement, Patricia abandonna la parade et regagna sa table. Elle prit son sac sous sa chaise et en sortit la laisse de Tom-Tom qu'elle brandit devant ses yeux.

— Voilà, avec ça tu vas te tenir à carreau, c'est moi qui te le dis, annonça-t-elle au berger allemand en attachant la laisse au collier. Elle souleva légèrement un des pieds de la table pour y glisser la poignée de la laisse et se redressa pour applaudir avec le reste de l'assemblée, la fin du chant et les bougies soufflées. Les serveurs passèrent aux tables, distribuant des parts de gâteau dans des petites assiettes à dessert. Face à Patricia, Bruno s'empara de la sienne et l'entama tranquillement. C'était la première fois que Patricia assistait à une fête où l'amant se régalait du gâteau d'anniversaire du mari. Comme il s'était mis un peu de chocolat autour de la bouche, Marie-Claire prit sa serviette, en trempa l'extrémité dans un verre d'eau et lui essuya le contour des lèvres. Sophie-Amélie leva les yeux au ciel. Elle commençait à trouver ce flirt indigeste. Les jeunes cherchaient un nouveau sujet de conversation pour couvrir l'embarras provoqué par l'attitude de Marie-Claire et du jeune homme. Ils étaient les seuls à oser parler, ou plutôt se susurrer des mots à l'oreille. Certes, en l'absence de Patricia, les jeunes avaient bien tenté de lui raconter l'épisode du hamster mais Marie-Claire avait paru s'en balancer totalement. Elle avait même ricané en s'exclamant : « Bien fait ! » Ce fut Stanislas, le voisin de Patricia, qui brisa le silence le premier.

— Vous vous souvenez de la première greffée du visage ? lança-t-il à la tablée.

Tout le monde acquiesça la bouche pleine et fermée.

— Cette fille s'est fait bouffer la gueule par son chien, reprit-il, c'était aussi un berger allemand, il me semble non ?

Les autres approuvèrent. Patricia s'arrêta net de manger.

— C'est fou cette histoire, assura-t-il, il lui a littéralement arraché tout le bas du visage à cette pauvre fille et c'était sa maîtresse ! Il la connaissait ! Il paraît que les bergers allemands peuvent avoir cinq minutes dans leur vie où ils deviennent complètement dingues, ils ne reconnaissent plus personne et ils attaquent... Patricia lâcha sa petite cuillère et abaissa son regard vers Tom-Tom qui la scrutait fixement de ses yeux foncés, attendant lui aussi une part de gâteau, c'était la moindre des choses...

— Jamais je ne prendrai cette race de chien, déclara Sophie-Amélie, et même pour une journée, je refuserai de m'en occuper.

— Ça va, objecta Patricia, ce n'est tout de même pas un pitbull...

Elle déposa discrètement son assiette à dessert dans l'herbe et Tom-Tom ne fit qu'une bouchée du reste du gâteau. Elle espéra vivement que sa voisine danseuse n'allait pas rentrer trop tard pour récupérer sa terreur. « Pourvu qu'elle n'ait pas dans l'idée de me le laisser pour la nuit », pensa-t-elle. Elle s'imagina dans son lit, un trou sanguinolent à la place du nez et Tom-Tom, au-dessus d'elle, se léchant les babines. Après tout, ce chien avait bien dévoré un hamster et un tableau en un après-midi...

À propos de tableau, Patricia eut une nouvelle suée en voyant une quinzaine d'invités se diriger vers la maison. Ils allaient chercher les cadeaux. Dans la foule, Patricia tenta de repérer la fameuse Armelle, généreuse donatrice de l'œuvre bolivienne, mais les prénoms des gens n'étant pas écrits sur leurs fronts, elle n'avait strictement aucune indication pour la reconnaître. Il fallait attendre et voir. Attendre un nouvel esclandre. Oubliant les leçons de Nadine de Rothschild, elle s'empara de la bouteille de vin restée sur la table ct se servit un grand verre. À présent, tout le monde était au champagne et Marie-Claire aussi, constata-t-elle en se remémorant la promesse faite à Sébastien. La surveiller, tu parles, elle était assez grande. Elle, en tout cas, ne se souciait de personne. Son mari allait-il venir lui demander des explications sur son attitude et la présence du jeune homme à ses côtés ? En attendant, les cadeaux arrivaient de toutes parts et Maurice les ouvrait comme un gosse le matin de Noël. Des objets d'art en grande partie. Des statuettes africaines, un livre immense sur le mouvement Dada, un autre sur l'art conceptuel, une carafe en cristal, une biographie de Napoléon par Jean Tulard, une théière marocaine (qu'on trouve pour trois fois rien dans n'importe quel souk de Marrakech, cet ami-là ne s'était pas foulé), une boîte de cigares, une biographie de Marcel Duchamp, un appareil photo numérique, un tableau d'un jeune peintre découvert à la dernière FIAC de Venise et « qui montait » sur le marché, des reproductions d'art, des gravures, une aquarelle que Maurice montra à tout le monde, une encyclopédie sur les impressionnistes que Maurice possédait déjà, de vieux dessins au fusain achetés dans une brocante, un monocle ayant appartenu à un général du premier Empire, etc.

Sébastien, parti chercher son cadeau dans la boîte à gants de sa voiture, revint avec un petit sac Darty qu'il tendit à son père :

— De la part de Lucas et de moi, dit-il en l'embrassant.

Maurice ouvrit le paquet pour découvrir une Nintendo DS. Il considéra le gadget comme si on venait de lui offrir un sac de boulons, cherchant ce qu'il allait bien pouvoir faire de ce machin...

— C'est comme un petit ordinateur, l'informa timidement Lucas. On peut faire beaucoup de jeux... il faut lire le mode d'emploi...

— Merci, dit Maurice.

Pour la première fois, son regard sévère se posa sur Lucas dont les joues devenaient aussi rouges que son béret. Flora, la jeune sœur, perça l'attroupement et vint s'asseoir sur les genoux de son père comme une petite fille pour lui offrir un très beau cadre de photographie dans lequel elle allait probablement se retrouver. À la table des jeunes, Marie-Claire, qui passait une bonne journée dans la peau de Catherine Nay (le genre grande et belle garce) n'avait rien à offrir à son mari. Elle compara cette file indienne d'hypocrites déposant leurs offrandes au défilé des Rois Mages, ce qui fit beaucoup rire Bruno. Soudain, une légère agitation anima l'atmosphère, les serveurs débarrassaient les buffets et reculaient les tables pour laisser place à une piste de danse. Des spots un peu disco s'allumèrent et un jeune hirsute, sûrement bien payé pour la journée, installa son matériel de DJ sur la petite scène du dompteur, là où le spectacle n'avait pas eu lieu. Maurice avait exigé un peu de musique pour les jeunes. Patricia les compta. Ils étaient huit en tout, si l'on exceptait une poignée de gosses dont les parents n'avaient pas trouvé de baby-sitter. Il n'allait pas y avoir foule à sa surboum, pensa-t-elle en se resservant un verre de vin. À sa surprise, ce ne furent pas les jeunes qui se précipitèrent pour un rock endiablé mais des quinquas s'encanaillant.

Subitement, Maurice surgit et empoigna Marie-Claire par le bras la contraignant à se lever :

— Qu'est-ce que tu as fait de mon Ricardo Belafisto ? rugit Maurice très en colère.

Le cœur de Patricia s'emballa.

— Tu me fais mal ! Lâche-moi, s'écria Marie-Claire en se dégageant de la poigne de son mari. Je ne vois pas du tout de quoi tu parles !

— Armelle a appelé ce matin pour dire qu'elle m'avait fait parvenir un tableau de Bolivie ! Or il n'est plus là et personne ne l'a vu...

— Tu ne vas pas recommencer avec ton Armelle !

— Arrête, c'est juste une amie !

— Bien sûr !

— Qu'est-ce que tu as fait de son tableau ?

— Je ne vois pas de quoi tu parles, répéta Marie-Claire.

Patricia finit son verre d'une traite. Il lui fallait un peu de remontant pour se dénoncer.

— Ce tableau est arrivé ce matin, j'en suis sûr, continua Maurice. Où l'as-tu caché ? Qu'est-ce que tu en as fait ?

— Mais rien ! s'écria Marie-Claire. Je n'étais même pas au courant !

— C'est très important pour moi, lâcha Maurice en essayant de se calmer. Cette toile est un investissement. Je dois la mettre en vente pour un de mes clients le mois prochain...

Patricia sentit son courage l'abandonner. Tant pis. Une fois de plus. Elle était paralysée. Son regard s'abaissa sous la table pour jeter un œil à Tom-Tom mais lorsque les serveurs avaient repoussé les tables pour laisser place à la piste de danse, ils avaient malencontreusement libéré le chien. Une barre d'angoisse lui bloqua le plexus. Tant pis. Pas bouger. Sébastien arriva au secours de ses parents :

— Qu'est-ce qu'il se passe ?

— Ta mère, qui n'a rien d'autre à faire que d'être jalouse comme un vieux pou de mon amie Armelle, a fait disparaître un tableau très important qu'elle m'a fait parvenir...

— Le vieux pou aurait adoré foutre ta peinture à la poubelle, déclara Marie-Claire glaciale. Mais je ne l'ai pas fait. Je n'étais pas au courant, merde à la fin...

— On l'a peut-être volé ? lança Sébastien en croisant le regard complice d'une Patricia livide.

— Ne dis pas de bêtises, le sermonna son père.

Néanmoins, l'idée fit son chemin. Le regard de Maurice se posa alors sur le voisin de sa femme qui, un peu gêné, observait le talon de ses bottes de motard.

— Qui est-ce ? demanda Maurice d'un coup de menton en avisant le gigolo.

— Juste un ami, répondit Marie-Claire. Tu vois, moi aussi j'ai des amis comme toi. Je me suis permis de l'inviter, il me distrait…

— Si quelqu'un m'a volé ce tableau, ça ne peut-être que lui ! accusa Maurice.

Bruno réagit immédiatement en se levant :

— Monsieur, je ne vous permets pas…

N'étant plus à l'époque des duels et ne sachant trop comment terminer cette phrase, il se rassit en murmurant : « Non mais ho ! Woua l'autre hé… »

— Bruno n'entend rien à la peinture, expliqua Marie-Claire, il est dans la mécanique et se fout de tes tableaux à peu près autant que moi ! Comment oses-tu accuser les gens comme ça ?

Malgré la musique, la rumeur d'un vol se répandit d'une table à l'autre. Une toile d'une grande valeur avait disparu des cadeaux de Maurice. Le deuxième crime de la journée et Maurice accusait publiquement l'espèce de loubard qui collait sa femme. Rien d'étonnant à cela lorsqu'on voyait comment ce type était habillé. Pour Maurice, il n'était pas utile de s'y connaître en art pour dérober un tableau. Son opinion était faite.

— Il n'y a que deux personnes que je ne connais pas ici. L'« ami » de ma femme et l'« ami » de mon fils. Si mon tableau a été volé c'est ou par l'un ou par l'autre !

Ça commençait à sentir le roussi. Sébastien et Patricia échangèrent un regard lourd de sous-entendus. On ne pouvait pas le laisser accuser des innocents et surtout pas le copain Lucas qui allait faire partie intégrante de la famille. Patricia allait se lever pour raconter l'incident lorsque, subitement, une femme fit irruption à la table, essoufflée :

— Maurice, André a retrouvé ton tableau !

Elle n'eut guère le temps de prononcer le moindre mot. Maurice partit au pas de course vers la maison, laissant Patricia et Sébastien se regarder, très inquiets. Les jeunes à la table, n'ayant aucune envie de danser sur Donna Summer et trouvant l'ambiance « trop glaciale » depuis les accusations de vol, se levèrent et acceptèrent la proposition de Stanislas qui lança l'idée d'aller faire un poker dans le salon selon les règles du no-limite hold'em évidemment. Comme ils y jouaient tous sur Internet (de préférence sur PartyPoker. com, c'était mieux que sur Winamax. fr), ils se dirigèrent lentement vers la maison en comptant les billets d'une liasse que chacun avait sortie de sa poche.

Pendant ce temps-là, Maurice arrivait au bas de l'escalier où l'attendait son pote André, l'antiquaire aux cheveux blancs, qui avait ému l'assemblée avec son beau discours sur l'amitié. André tenait dans ses mains l'objet massacré :

— Figure-toi que je suis monté dans la chambre, celle où sont rangés les manteaux pour prendre mon coupe-cigare dans ma veste quand subitement le berger allemand est arrivé, celui qui a bouffé le hamster. Figure-toi qu'il s'est précipité sous le lit, je l'entendais gratter quelque chose et, à ma grande surprise, il en a sorti cette toile. C'est le tableau que tu cherchais ? Mon pauvre, il est dans un sale état…

Maurice étouffa un cri d'horreur en prenant le tableau qu'il serra dans ses mains et contempla de tous côtés. Inutile d'être, comme lui, expert en art pour se rendre compte que son Ricardo Belafisto avait perdu beaucoup de sa valeur. Désespéré, il se laissa tomber sur les marches de son escalier avec son tableau. Tranquillement Tom-Tom, qui descendait avec sa laisse dans les pattes, arriva derrière lui et renifla ce qui lui restait de cheveux.

— Tiens le revoilà, dit André à son vieil ami assis par terre.

Maurice se retourna et tomba nez à truffe avec Tom-Tom. Les yeux de l'animal semblaient lui demander s'il pouvait récupérer son jouet au boudin. Doucement, le chien lécha le haut du tableau dans les mains de Maurice. Il laissa faire… Il était irrécupérable, alors… un peu plus, un peu moins…

Maurice mit un bon quart d'heure à se relever. Il fallait qu'il fasse des excuses à sa femme et à son « ami ». Il n'en avait aucune envie. Il trouva la force de se redresser néanmoins quand son avocat, arrivé sur les lieux, posa une main pleine de compassion sur son épaule. Maître Lipman lui promit d'appeler, dès lundi matin, le groupe AXA chargé de protéger sa collection d'œuvres d'art et d'entamer la procédure à suivre pour ce genre d'événements malheureux. Certes, Maurice était assuré. Des dégâts des eaux jusqu'aux incendies en passant par l'invasion de sauterelles, mais l'était-il contre les crocs d'un berger allemand, invité surprise de son anniversaire ? Pas sûr…

— Si tu étais humain, je crois que je te casserais la gueule, lança Maurice au chien en réajustant sa veste, et après je te ferais arrêter par les flics pour dégradation d'œuvre d'art et meurtre de hamster artiste…

— À ton procès, je m'arrangerais pour que tu prennes du ferme, renchérit maître Lipman.

Tom-Tom observa les deux vieux de ses grands yeux foncés. Qu'est-ce qu'il pouvait bien se passer dans la tête d'un chien ?

L'avocat considéra le tableau dans les mains de Maurice. Cette œuvre d'art abstraite, qui jadis représentait des cercles de toutes tailles, s'intitulait *Trous d'air* et portait bien son nom à présent. Abattus, Maurice et son avocat sortirent de la maison pour regagner la réception. Patricia : sa belle-fille virtuelle ! Quelle calamité cette fille, heureusement que son fils ne l'épousait pas « pour de vrai »… Le jour déclinant peu à peu, le jardin était éclairé par des spots le long de l'allée et par les sunlights de la petite discothèque. Si l'éclairage était toujours là, la musique en revanche avait disparu. En s'approchant de la fête, Maurice en comprit la raison. Bien que la séance des discours soit passée, quelqu'un voulait prendre la parole et demandait le silence en tapotant une flûte à champagne avec une petite cuillère. C'était l'« ami » du fiston. Le fameux Lucas, moins timide subitement, les rétines explosées par une cigarette qui sentait bon la grillade et le béret de travers, sollicitait l'attention des invités.

— Chers amis, hurla-t-il, vous ne me connaissez pas, même si certains d'entre vous m'ont vu à la télévision où j'anime une émission médicale sur le câble. Je m'appelle Lucas, heu… avant la télé, je faisais de la radio… bref, je vis depuis deux ans avec Sébastien, le fils de Maurice. On ne le crie pas sur les toits mais on ne le cache pas non plus…

Un silence lugubre accueillit cette nouvelle. Maurice, l'œil hagard et son tableau dans les bras, perça la foule, suivi de son avocat. Sur la piste de danse, debout parmi les invités, Sébastien avala sa pomme d'Adam.

— Nous voulions vous dire, continua Lucas, que nous nous sommes pacsés à la mairie du dix-septième arrondissement au début de l'année et la famille de Seb se devait d'être au courant car il a beaucoup de chance d'avoir une famille aussi unie et présente dans sa vie… Moi, mon père est mort d'un cancer il y quinze ans et je n'ai pas revu mes deux méchantes sœurs depuis avril 1997. Quand j'avais trois ans et qu'elles en avaient huit et dix, elles m'ont jeté par la fenêtre du premier étage de notre pavillon de Saint-Cloud, j'ai atterri dans le parterre de géraniums et depuis je souffre de vertiges et de bien d'autres choses… Enfin bref, je voulais vous dire que Sébastien est toute ma famille aujourd'hui et c'est pourquoi nous avons contacté un prêtre à Bruxelles qui est d'accord pour nous marier. Le Pacs, c'est bien mais le mariage, c'est encore mieux ! Alors vous êtes tous invités à la fête ! On paye le Thalys pour la Belgique !

Un murmure d'interrogations se fit entendre et puis Marie-Claire leva ses deux bras en l'air en lançant un « waouh ! » qui fut suivi par une salve d'applaudissements. Si la mère donnait son consentement, après tout pourquoi pas ? Marie-Claire, vivant une débâcle à tous points de vue, avait décidé de suivre le courant plutôt que de se débattre dedans. Maître Lipman, l'avocat de Maurice, le sentant faiblir sur ses jambes, s'empara d'une chaise qu'il glissa prestement sous son postérieur.

— Tu étais au courant de ça ? demanda l'avocat, stupéfait.

Maurice, les yeux dans le vide, ne répondit rien. Son tableau invendable collé contre lui, il observait son fils récolter les félicitations d'usage en serrant des mains et déclarant un peu gêné : « Oui enfin, rien n'est fait encore… »

« Vive l'amour ! » lança le DJ au micro et, pour appuyer cette belle phrase, les premières notes d'un slow dégoulinant se firent entendre. C'était la musique de *La Boum*. Les jeunes étant partis faire un poker, les sexy sexagénaires se précipitèrent pour s'enlacer sur la piste. Parmi eux, Marie-Claire qui entama un slow serré contre son « ami » sous le regard toujours vide de son mari.

Sébastien, poursuivi par une Patricia qui le harcelait en répétant : « Vous vous êtes pacsés ? Vous ne m'avez rien dit ? », rejoignit Lucas à la table. Il tira une taffe du pétard en lui déclarant : « Tu abuses ! » mais le sourire innocent et satisfait de Lucas balaya craintes et remontrances et il plaqua ses lèvres contre les siennes.

— Tu vois, dit Maurice à son avocat resté à ses côtés pour parer à l'éventuelle attaque cardiaque, quand j'étais à Phuket en Thaïlande ce 26 décembre

2004, j'ai vraiment cru que je vivais la pire journée de ma vie. C'est vrai après un tsunami, tu te dis : qu'est-ce qu'il peut m'arriver de pire… Hein ? Comme quoi, c'est drôle la vie… Bon tu me diras, ils ne sont pas morts, ajouta Maurice en observant sa famille, mais franchement…

L'avocat mit sa main sur l'épaule de son vieil ami. Lui aussi regardait sa femme danser avec un autre mais, Dieu merci, son fils était marié avec une personne du sexe féminin et aucun chien ne s'était attaqué à un de ses investissements personnels…

Flora accourut pour s'asseoir sur les genoux de son père :

— Papa, papa ! tu n'aurais pas quatre cent soixante-quinze euros ? Je viens de me faire plumer par Stan : j'ai fait tapis avec une paire de dames et Stan avec neuf et dix dépareillés a trouvé sa quinte au flop ! Tu te rends compte du bad beat ? Cinq cents euros papounet, ce n'est pas grand-chose…

Maurice ne répondit rien. À ses pieds, le berger allemand, qui l'avait suivi, venait de s'allonger dans l'herbe. Il fut soudainement pris de spasmes inquiétants et se mit sur son séant la gueule ouverte, comme bloquée. Le chien allait vomir. La peinture, qu'il avait grignotée toute la journée, était recouverte d'un vernis contenant des produits chimiques que son estomac, après avoir réfléchi, refusait finalement. Tom-Tom régurgita une boule noire au pied de Maurice, mélange de gâteau au chocolat, poils de hamster et un peu d'art abstrait…

Retour et conclusions

Dans la Coccinelle qui les ramenait à Paris, Patricia, Tom-Tom, Sébastien et Lucas restèrent silencieux. À l'avenir, ils espéraient se revoir dans un coin où ils étaient moins vedettes. Sébastien était inquiet pour son père. Quand il l'avait embrassé pour lui dire au revoir, Maurice lui avait répondu un « merci d'être venu » avec le regard du type qui va monter dans sa chambre se tirer une balle dans la bouche. « Ça lui passera, pensa Seb, demain est un autre jour et puis la journée fut tout de même réussie... si l'on enlevait tous les incidents de parcours. » À ses côtés, Lucas somnolait. Satisfait d'avoir balancé toute la vérité à la famille et aux amis du père de Sébastien et ce, en partie grâce au pétard que lui avait roulé le créateur d'événements artistiques, il dormait du repos du gay au devoir accompli et à la conscience tranquille. La crise d'angoisse serait pour le lendemain. À l'arrière, Patricia grattouillait et massait le ventre de Tom-Tom, allongé sur elle, de peur qu'il ne vomisse à nouveau. Le chien s'était constitué un beau casier judiciaire en une journée. Comme chaque fois, Patricia, silencieuse, passait en revue le nombre de catas dues directement ou indirectement à sa présence. Elle venait de battre son record aujourd'hui...

À deux heures dix du matin, la Coccinelle de Seb se gara devant chez elle. Sébastien se retourna :

— Je te vois mardi matin, il y a « Vol de nuit. » On se retrouve à la Maison de la Radio ?

— Non, c'est Coralie qui accompagne les auteurs. Elle adore Poivre d'Arvor, alors que moi... depuis que j'ai osé lui dire qu'il ne lisait pas les livres... Enfin. Heu, en revanche, j'ai Ruquier jeudi soir...

— Jeudi soir, j'ai Taddeï, c'est en direct en plus...

— On s'appelle vendredi, j'ai LCI le matin mais je t'appelle après...

— OK Je crois que j'ai France Inter mais il faut que je vérifie...

Sur le siège passager, Lucas bâilla et s'étira :

— Salut ma chérie !

— À plus, lança Patricia en descendant de la voiture avec son berger allemand.

Arrivée au troisième étage, elle frappa à la porte de Sylviane, mais la danseuse n'était toujours pas rentrée chez elle. Patricia entra dans son appartement avec le chien. Elle lui sortit une couverture et un oreiller qu'elle installa confortablement sur son canapé, comme si elle hébergeait un copain pour une nuit, et lui fit cuire deux steaks hachés surgelés qu'elle plaça dans une assiette au pied du sofa, sans oublier le bol d'eau. Constatant la satisfaction de Tom-Tom allongé sous la couette, elle partit s'enfermer dans sa chambre, lui laissant une petite loupiote allumée sur la table basse.

Patricia s'éveilla vers onze heures le dimanche matin et caressa son visage avec soulagement. Le chien ne l'avait pas attaquée pendant la nuit. C'était déjà ça. Elle se leva et ouvrit la porte de son salon. Tom-Tom se précipita sur elle pour lui dire bonjour, les pattes avant sur ses épaules, glapissant de câlins. Ce chien était tout de même très attachant, pensa Patricia. Elle constata néanmoins qu'il ne s'était pas gêné pour se soulager sur sa moquette. Habitué à ce qu'on le sorte chaque matin vers huit heures, il avait moyennement apprécié la grasse matinée de sa dog-sitter…

Sylviane sonna à la porte vers midi. Patricia qui tentait de nettoyer la moquette balança l'éponge dans le seau et se redressa pour aller ouvrir.

— Ça doit être maman, annonça-t-elle à Tom-Tom qui regardait des dessins animés à la télévision.

Tom-Tom, qui l'avait suivie, devint épileptique de bonheur quand il retrouva sa vraie maîtresse. Il sauta sur Sylviane, jappa, s'ébroua, renversa tout ce qu'il pouvait avec sa queue devenue incontrôlable, fit des tours sur lui-même, gémissant de tendresse pour sa danseuse.

— Oh ça va, le calma Patricia, on croirait que je t'ai gardé six mois !

Elle fit entrer sa voisine, lui proposa un café et tandis que la danseuse prenait place dans son salon, débordante, elle aussi, de câlins pour son berger allemand, Patricia lui prépara une petite tasse de Nescafé.

— Tout s'est bien passé ? demanda Sylviane en prenant sa tasse.

— Impec, répondit Patricia.

— Je te remercie infiniment.

Patricia regarda le criminel canin en pleine séance de mamours. À quoi bon revenir sur des détails ?

Ce qui est fait est fait...

Tant pis...

Épisode n° 6 :
Son passage au bureau, entre deux cigarettes sur le trottoir

— C'est bizarre de sortir une biographie de Talleyrand au mois de juin, dit Coralie en se balançant sur sa chaise. Ce n'est pas vraiment un livre de plage. Jean-Louis ne doit pas beaucoup y croire, conclut-elle en s'éventant avec le programme des sorties de l'été.

Patricia arrêta de pianoter son clavier et observa Coralie, la tête à demi cachée par son écran. Talleyrand égale Françoise. Françoise égale Antoine. Antoine égale nuit d'amour formidable à Metz. Ah, si seulement il n'y avait pas eu cette gaffe du lendemain ! Antoine lui aurait donné son vrai numéro. Il l'aurait appelée entre le Darfour et Bagdad pour venir se remettre de toute cette misère dans ses bras. Elle l'aurait requinqué ; elle aurait été sa confidente, sa maîtresse, son amie, sa Pompadour. Elle aurait pu dire : J'ai une liaison. Au lieu de ça, elle s'était fait jeter comme une m... le lendemain. Et pourtant, elle n'arrivait pas à l'oublier. Antoine se baladait dans son cerveau entre la case : souvenirs fabuleux et le tiroir : souvenirs honteux, un coin plein à craquer...

Elle y pensait. Elle y pensait tout le temps.

— De toute façon, on ne s'occupe pas des bios historiques, déclara Patricia en cliquant sur sa souris.

— On va s'occuper de celle-là, annonça Coralie.

— Quoi ? Mais c'est Céline qui s'occupe de l'histoire.

— Céline est enceinte. Elle a annoncé qu'elle partait à la dernière réunion des représentants mardi dernier. Patricia mais où as-tu la tête ?

— Ah oui c'est vrai... ça me déprime ces filles qui tombent enceintes.

Une nouvelle boule au bide se confectionna doucement. Devait-elle prévenir Coralie, sa chef, du petit souci qu'elle avait avec Françoise de Lysières ? Le petit problème de Metz ? Leur belle rencontre un poil mouvementée ?

Elle décida que non. Inutile d'en rajouter. Les équilibres sont fragiles. En ce moment, les choses ne se passaient pas trop mal avec la chef des attachées de presse alors pas la peine d'entrer dans des détails d'ordre privé. Cette donneuse de leçons de Coralie, avec ses regards aux cieux et ses sempiternels : « Patricia mais où as-tu la tête ? » avait un don pour faire d'un chou un potager. Inutile de la mettre au courant de sa boulette. Patricia ne put s'empêcher de s'imaginer à l'arrière d'un taxi avec Françoise, l'accompagnant à des interviews, un silence morbide dans la voiture, une gêne effroyable et pesante entre les deux femmes : belle ambiance entre la légitime et le petit coup d'un soir, ah la vache... Que de beaux moments en perspective ! Un espoir néanmoins : en fréquentant la femme, elle aurait probablement des nouvelles du mari ? Elle allait peut-être même le revoir ? Pourquoi pas ? Tout n'était pas perdu, la gaffe était peut-être rattrapable ? Elle garda cette note optimiste en mémoire.

— Tu as la liste des journalistes pour la presse historique ? demanda Patricia à sa chef.

— Oui, Céline a laissé des notes. On en envoie aux journalistes habituels plus quelques journalistes spécialisés. Mais dans l'ensemble, on fait comme d'habitude. Je sais déjà qu'elle va certainement faire Pradel sur Europe 1, tu iras avec elle, c'est à neuf heures du matin…

« Oh putain… », pensa Patricia. C'est tout ce qui lui vint à l'esprit.

— Oh, ma Barbara! Ma Barbouille, si tu savais comme je suis contente de te voir! Encore mille conneries ce week-end! s'écria Patricia en entrant dans le restaurant où elle déjeunait avec son amie tous les lundis.

— Je connais ce refrain, répondit Barbara.

— Alors toi, dit Patricia en s'asseyant, j'ai besoin de quelques explications ma petite vieille…

— Je t'écoute…

— Comment as-tu connu Marie-Claire, la mère de Seb? Et qu'est-ce qui t'a pris de lui refourguer ton Bruno le dépanneur? Une femme de cette classe?

— Je l'ai rencontrée avec toi l'année dernière. Tu ne te rappelles pas? Cette fête chez Ledoyen, une espèce de cocktail pour un bouquin, je ne sais plus trop… Tu as le don pour m'amener avec toi dans ce genre d'endroit et me laisser en plan pour aller discuter avec tous tes potes. Comme elle était un peu à l'écart, elle aussi, on s'est mises à parler et on a bien sympathisé… De fil en aiguille, elle s'est confiée à moi. Elle m'a fait un peu de peine, elle était déprimée, cette femme…

— Comment ça?

— Elle m'a raconté que son mari la trompait, que son fils était pédé, que sa fille votait Front national et séchait la fac pour aller faire du power-plate, je lui ai dit qu'il n'y avait rien de grave dans tout ça. Il fallait juste qu'elle prenne du recul…

— Quoi? Attends, attends! Sa fille vote FN? Flora? La douce Flora? Flora la blondinette?

— Oui. Depuis qu'elle est à Assas, et sa mère dit qu'elle est totalement décomplexée vis-à-vis de ça.

Même pas honte. Pour dormir, il paraît qu'elle a un tee-shirt : « Génération Le Pen » avec la flamme bleu-blanc-rouge et tout !

— Je ne peux pas le croire. Sébastien ne m'a jamais raconté ça !

— Il ne s'en vante pas, le pauvre. Vous deux, vous fréquentez un milieu d'écrivains, d'artistes où ce genre de truc est hyper mal vu…

— Ce n'est pas une question de mal vu ou pas, c'est hyper démodé pour une fashion victime comme Flora…

Au ralenti, elle revoyait la belle Flora, pleine d'élégance et d'aisance virevoltant d'une table à l'autre parmi les amis de son père. Elle insista :

— Je ne la connais pas très bien mais je l'imagine mal.

— Bref, Marie-Claire en est malade. La dernière fois que sa fille est descendue dans la cuisine prendre son petit déj avec son pyjama « Génération Le Pen », sa pauvre mère en a dégobillé son café dans l'évier.

— Oh, là, là !

— Alors, je lui ai dit que j'avais ce qu'il lui fallait à cette pauvre Marie-Claire. On s'est revues une semaine après et je lui ai présenté Bruno, qui lui vote extrême gauche à cause de son défunt père communiste. Oui, il est persuadé que son paternel l'observe de l'au-delà quand il est dans l'isoloir. Enfin bref, aussi bizarre que cela paraisse, ça a immédiatement collé entre eux deux. Il est parfait notre Bruno comme clé pour remonter le moral, tu ne trouves pas ?

— Bof.

— Franchement, c'est mieux que les antidépresseurs.

— Je crois qu'elle se fait les deux, en fait.

— Tu sais, depuis qu'elle est avec lui, elle a fait un peu de chirurgie esthétique et elle se sent mieux dans sa peau…

— Écoute, quand je l'ai vue samedi, elle était impec dans sa peau retendue. Elle avait même invité ton Bruno à l'anniversaire de son mari, faut le faire ! Dans le genre décomplexé, elle est pas mal non plus.

— C'était sympa cette fête ?

— Barbara, promets-moi une chose : la prochaine fois que j'ai une soirée ou un week-end quelque part, je t'en supplie, assomme-moi ! Tu prends une bouteille et tu me la fracasses sur le crâne. Je ne dois absolument plus décoller de mon canapé, c'est encore là que j'ai le moins d'ennuis…

— Moi aussi.

— Pourquoi tu ne m'as pas raconté tout ça avant ? Marie-Claire et toutes ses confidences ?

— Je viens de me rappeler qu'elle m'avait fait jurer de n'en parler à personne. Tu ne dis rien, promis ?

— Promis.

Quelque temps plus tard…

C'est un matin d'avril que Patricia eut la bonne surprise de découvrir sur son bureau sept cents pages de la vie de Charles-Maurice de Talleyrand, abbé de Périgord, évêque d'Autun, grand visionnaire politique, symbole du siècle des Lumières comme des idéaux de la Révolution, ministre puis ennemi de Napoléon. Le manuscrit de Françoise de Lysières était là, devant elle, avec ses dernières corrections avant épreuves. Six ans que Françoise travaillait sur ce sujet. Si seulement elle avait écrit quelque chose inspiré de sa vie, Patricia se serait jetée dessus :

Un petit essai : « Comment vivre avec un grand reporter pas très fidèle ? »

Un témoignage : « Moi, Françoise, 46 ans, historienne et cocue… »

Un texte sociologique : « Pourquoi je hais les attachées de presse ! »

Un récit dans la collection coup de gueule : « Les salons du livre sont remplis de pouffes ! »

Mais non, juste du Talleyrand, des dates, des traités, des guerres et des accords de paix à toutes les pages. Patricia soupira. Elle aimait les romans plutôt actuels, l'écriture rapide et contemporaine, les récits fluides avec des personnages modernes sans parenthèses, au lieu de Mirabeau (1749-1791), Madame de Staël (1766-1817), Benjamin Constant (1767-1830)...

Quinze jours plus tard, elle était supposée avoir terminé le manuscrit. En réalité, elle avait douloureusement parcouru vingt-trois pages de l'enfance du diable boiteux, comme on l'appelait à cause de son pied-bot, et l'idée de continuer la plongeait dans des abîmes de souffrance et de perplexité. Elle tentait de se convaincre et récitait, non pas un poème, mais une petite mise au point sur ses relations avec la culture. Debout derrière son bureau, lorgnant sur le pavé de sept cent trois pages, elle débita d'un ton monocorde :

« Je suis passionnée par l'Histoire. Tout ce qui tourne autour de la Révolution, de Napoléon, le premier Empire, me remplit de bonheur. Quoi ? Une biographie de Talleyrand ? Ça alors, ça tombe bien, c'est pile ce que j'aime ! Ah oui, c'est mon époque préférée et ce type, franchement je l'adore. Rien que sur le résumé du livre on comprend qu'il était cynique, sarcastique, sournois, machiavélique, traître, dépravé, mais tellement diplomate et intelligent. Vous vous souvenez de l'interprétation de Claude Rich dans *Le Souper* ? Génial non ? Vous préférez Fouché ? Sincèrement je suis comblée, folle de joie à l'idée de défendre une biographie historique, c'est passionnant et puis travailler avec son auteure, quelle joie ! Une femme formidable que j'aime beaucoup aussi. Si elle est branchée histoire, son mari est plutôt géographie, lui. Il parcourt la planète dans tous les sens, de préférence dans des coins bien craignos. Sinon, quand il se pose, il lui arrive d'être branché cul aussi... »

— Patricia, j'ai quelqu'un à te présenter, annonça Coralie en entrant dans le bureau. Voici Françoise de Lysières avec qui nous allons travailler. Françoise, je vous présente Patricia, attachée de presse très efficace et j'attends Clémentine qui va s'occuper de vous pour la province…

Elle était là. Devant elle. Avec un cartable et un sac en bandoulière. L'élégante Françoise : le menton altier, le nez pointu, la bouche pincée, le regard perçant s'écarquillant à l'apparition de Patricia.

Patricia : le cheveu gras retenu par une pince, pas de maquillage, des plaques rouges sur le visage en raison de sa récente épilation sourcils/moustache, le regard fuyant, la lèvre stressée, les mains tremblotantes qui s'agitent au-dessus de son bureau et qui finissent par renverser le petit vase qui contenait une rose… et de l'eau…

L'eau qui s'écoule sur le manuscrit de Françoise. Françoise qui la toise. Patricia qui prend la première page trempée du manuscrit et qui la secoue comme pour la faire sécher en déclarant : « C'est pas grave, ce n'est que le titre. »

Une scène épouvantable. De celles dont Patricia avait l'habitude. Une scène de film où le visage de Françoise lui évoquait étrangement celui de Carole Bouquet quand elle a ce regard très mauvais en apprenant qu'elle a été trompée, trahie et qu'elle trouve ça proprement incroyable. (Voir *Rive droite, rive gauche* ou *Trop belle pour toi*.)

Les deux femmes se serrèrent la main.

— Enchantée, dit Patricia.

— Vous vous connaissez ? demanda Coralie.

— On s'est croisées dans une foire du livre, il me semble, l'informa Françoise.

— Oui, il me semble, confirma Patricia.

— Je vais chercher Clémentine, annonça Coralie.

« Pitié, ne me laisse pas en tête à tête ! » s'écria Patricia par la pensée. Par la pensée seulement et Coralie s'éclipsa du bureau. Oui, les deux femmes cogitaient mais le filtre de la parole, tenu en laisse par la politesse et la bienséance, leur interdisait la libre expression. Heureusement, à vrai dire. Il y avait, comme en interview politique, le *on* : ce qu'on osait lâcher et le *off* : ce qu'on pensait réellement. Patricia lui adressa un petit sourire qu'on pourrait qualifier de gêné sachant que le mot était faible.

FRANÇOISE (*on*) : C'est drôle de se revoir. J'ai changé d'éditeur et...

(*off*) : Et c'est bien ma veine ! J'aurais jamais dû me barrer de chez l'autre con. C'était pas un génie mais au moins là-bas aucune des attachées de presse s'est tapé mon mari... enfin je crois...

PATRICIA (*on*) : Oui c'est drôle. Vous avez bien fait, c'est une bonne maison ici.

(*off*) : Drôle n'est pas le premier mot qui me serait venu mais bon. Il faut que je me détende. Je dois avoir l'air tétanisé.

FRANÇOISE (*on*) : Vous avez lu le livre ?

(*off*) : t'y as compris quelque chose ? Hein, gourdasse ?

PATRICIA (*on*) : Oui. Je l'ai presque terminé...

(*off*) : Il ne me reste plus que six cent quatre-vingts pages. Suis sur la bonne voie. Mais pourquoi j'ai hyper envie de lui demander des nouvelles de son mari ? J'ose ou pas ? Je crois que le mieux... on verra plus tard...

Coralie entra dans le bureau, talonnée par une Clémentine très embarrassée, elle aussi, à l'idée de revoir Françoise même si elle en avait moins fait que Patricia...

— Voila Clémentine qui va s'occuper de vous pour la province, annonça Coralie.

CLÉMENTINE (*on*) : Bonjour madame.

(*off*) : Si ça se trouve, elle ne va pas me reconnaître...

FRANÇOISE (*on*) : Bonjour mademoiselle...

(*off*) : Voilà la copine, la deuxième pute de Metz...

CLÉMENTINE : Si vous pouvez… si si vous avez… comment dire… le temps, je sais déjà que la… la… la…

FRANÇOISE (*on*) : Oui ?

(*off*) : Tu bafouilles connasse…

CLÉMENTINE : La Fnac de Toulouse est intéressée par une séance de dédicaces. Je… je vous donnerai la date exacte… on ira ensemble…

FRANÇOISE (*on*) : D'accord.

(*off*) : J'ai vraiment hâte. Trimbaler ce boulet à Toulouse, quelle joie !

CORALIE (*on*) : Vous verrez, c'est une bonne équipe Patricia et Clémentine. Elles se démènent pour les livres. Elles travaillent bien…

(*off*) : C'est bizarre, je sens comme une tension entre elles…

FRANÇOISE (*on*) : Oh, mais j'en suis sûre ! Je les ai vues à l'œuvre…

(*off*) : Je suis tombée sur la dream team des putes. C'est bien ma veine…

Épisode n°7 :
Son passage au resto dans la famille de Seb… qui ferait bien de s'assurer chez MMA (0 bla-bla, 0 tracas)

Une semaine plus tard

— J'ai tout de même envie de faire un cadeau symbolique à ton père, lança Patricia au téléphone, histoire de m'excuser pour ce samedi de l'horreur que le chien de ma voisine nous a fait vivre… Surtout que je ne lui ai rien offert pour son anniversaire à part une déferlante de catas. Il ne m'en veut pas ?

— Non, c'est du passé, répondit Sébastien. Disons que le discours de Lucas comme conclusion à tout ce bordel, ça l'a achevé, mais que veux-tu…

— J'en reviens pas de cette journée !

— Moi non plus. Je pense qu'on en rira… un jour… dans une vingtaine d'années…

Ils restèrent silencieux un moment.

— En tout cas, il y a de l'acceptation dans l'air pour Lucas. Figure-toi que mon père a eu des places pour le théâtre : on va voir *L'importance d'être constant* d'Oscar Wilde demain soir…

— Qui ça on ?

— Ma famille plus Lucas. On ira probablement dîner après, si tu veux passer ?

— Il y aura ta sœur ?

— Probablement pourquoi ?

— Non, comme ça…

— Je t'envoie un texto après le théâtre pour te dire où on est et tu nous rejoins. Comme ça si tu veux t'excuser auprès de mon père et lui offrir un petit truc, je suis sûr que ça lui fera plaisir, mais Patricia…

— Quoi ?

— Tu viens sans le chien de ta voisine !

— Très drôle…

Patricia lui narra alors l'événement majeur de sa vie : non seulement Françoise de Lysières publiait une biographie sous son toit professionnel mais elle allait devoir s'occuper de son livre. Seb éclata de rire et annonça qu'il devait raccrocher pour appeler Lucas et lui raconter la suite du feuilleton de Metz…

— Tu n'as vraiment pas de bol, ma chérie, lâcha Seb.

— Pas si sûr, répondit Patricia. Regardé, en la fréquentant, j'aurais peut-être des nouvelles du mari, je vais peut-être même le revoir…

— Mais tu es folle s'écria Seb. Je ne vois pas comment elle te remettrait en relation avec son grand reporter, au contraire ! Elle fera tout pour que jamais vous ne vous recroisiez, même par hasard. Réfléchis un peu Patricia…

Sébastien avait raison. Patricia raccrocha, dépitée. Comment revoir Antoine ? Retomber sur Antoine ? « Re-choper » Antoine ? Qu'imaginait-elle ? Que l'historienne, satisfaite de son travail, allait faire un petit dîner chez elle et la placer à côté de son mari ? Et qu'ensuite, fatiguée, elle irait se coucher et les laisserait tous les deux ? Ils auraient à leur disposition tous les canapés du salon pour refaire l'amour comme des bêtes ? Comme à Metz ? Il fallait avouer que sur l'échelle des probabilités, cette situation avait 0,0000002 pour cent de chance de se réaliser.

« Ce n'est pas grave, pensa Patricia, je trouverai bien autre chose… »

Ce type lui avait vraiment tapé dans l'œil et elle rêvait déjà du jour où la vie les mettrait de nouveau face à face et l'un sous l'autre...

En rentrant chez elle ce soir-là, Patricia croisa Sylviane, sa voisine, qui revenait de son petit tour avec Tom-Tom. Le berger allemand sauta de joie en voyant Patricia et se dressa, les pattes avant sur ses épaules, pour lui léchouiller la joue. Ce qui est toujours très agréable lorsque l'on sait que les chiens se servent de leur langue comme P. Q...

— Il t'adore, lui annonça sa voisine. Il doit avoir un très bon souvenir de votre journée à la campagne !

— Oh, mais moi aussi ! répondit Patricia qui caressa le crâne du chien en détournant la tête pour éviter la pelle qu'il voulait lui rouler. Mais moi aussi !

Peut-être qu'un jour elle lui raconterait dans les détails leur journée à la campagne... Peut-être...

Le lendemain soir

Patricia reçut, comme prévu, le texto de Sébastien et l'adresse du restaurant où soupait, après le théâtre, la petite famille des non-dits. La tribu des apparences, songeait Patricia dans le taxi.

Marie-Claire : la mère, qui préservait la sienne d'apparence et qui, après trente-quatre ans de mariage, se retrouvait dans une impasse conjugale.

Maurice : le père, qui aimait ses amis, ses tableaux et une galeriste d'un peu trop près, à ce qu'on racontait...

Flora, la fille : l'ISF numéro 2 du père qui le taxait en s'asseyant sur ses genoux. Fille à papa au visage angélique et aux idées politiques un peu trop patriotiques.

Le fils, l'adorable Seb : personne jugée non adéquate par les siens pour ramener un gendre à la famille et pourtant...

Lucas : pièce rapportée, un poil tétanisée dans nouvelle famille éclatée. Éclatée, en apparence encore, car ils semblaient réunis pour toujours autour de cette table quand Patricia fit son entrée dans le restaurant cosy non loin du théâtre Antoine.

— La pièce était géniââââle, annonça Flora en se levant pour accueillir Patricia, trop top Oscar Wilde !

Patricia déposa une bise très succincte sur sa joue et la considéra avec compassion et pitié, comme elle l'aurait fait pour l'actrice de *L'Exorciste*. (Ma pauvre chérie, je sais que le Diable est en toi, mais on va le faire sortir.) Elle fit un rapide tour de table pour saluer tout le monde. Maurice avait l'air de bonne humeur et la serra dans ses bras, démontrant ainsi son absence de rancune pour l'ambiance folklo de son anniversaire. C'était du passé. En ce qui concernait l'intimité des parents, tout avait été mis à plat pour un nouveau départ.

Maurice n'avait pas de maîtresse : Armelle, la galeriste, était juste une amie. Marie-Claire n'avait pas de gigolo : Bruno, le jeune homme de la fête, était juste un ami. Tout le monde restait sur ses positions et c'était très bien ainsi. Maurice s'empara de la main de sa femme qu'il porta à ses lèvres, et la félicita de sa mine rayonnante. Ce à quoi Marie-Claire répondit que c'était son chirurgien qu'il fallait féliciter. Maurice leva sa coupe à la santé du docteur Frydmann et tout le monde fit de même…

Patricia sortit d'un large sac en plastique le cadeau qu'elle avait préparé avec grand soin pour Maurice. La tablée s'exclama : « Mais c'est très grand, c'est quoi ? » Elle tendit l'objet rectangulaire, recouvert d'un papier-cadeau scotché de toute part au père de son ami et Maurice, très surpris, entreprit de déballer le présent de son vieux papier de Noël rafistolé. C'était un tableau. Patricia avait passé la nuit précédente à tenter de recréer le tableau boulotté par « son » chien. Elle avait peint de grands ronds, dictée par le souvenir qu'elle avait de la toile bolivienne. C'était assez approximatif et les couleurs n'étaient pas vraiment les mêmes. Maurice accusa le coup et balbutia un merci, quelque peu perplexe devant l'œuvre d'art. Lucas explosa d'un rire strident qui fit retourner les têtes des tables voisines et étouffa son hilarité dans sa serviette.

— Je l'ai fait avec des aliments aussi, comme l'artiste bolivien, expliqua Patricia, vexée par le fou rire de Lucas. Mais, s'il y a un chien dans les parages, il ne se jettera pas dessus car, voyez-vous, j'ai peint avec de la sauce à carottes râpées, de la moutarde, du café moulu et, pour le reste, j'ai utilisé des yaourts, des Danette pour être précise... C'est tout ce que j'avais dans mon frigo...

Le fou rire gagna Sébastien et sa sœur.

— C'est ton tableau foutu? Il ressemblait à ça? demanda Marie-Claire, réellement étonnée.

Comme Maurice ne répondait rien, Patricia prit la parole :

— Oui... à peu près, non?

— Et tu m'as fait une crise pour ça? reprit Marie-Claire.

L'éclat de rire des trois autres repartit de plus belle et Maurice glissa la toile contre le pied de la table en remerciant encore Patricia. Celle-ci, piquée au vif par l'hilarité de la tablée, sentit le rouge lui monter aux joues.

— Qu'est-ce qu'il y a? Vous le trouvez moche?

— Non... non, ahana Sébastien dans sa serviette. Tu as fait les Beaux-Arts? Une vraie faussaire!!

À ses côtés, Lucas riait tellement qu'une larme coula sur sa joue.

— Vous êtes nuls! Je me suis cassé le c... pour refaire ce truc!

— Tu es désarmante Patricia, lâcha Maurice, contaminé à son tour par l'envie de rire. Tu sais que ce genre de peinture s'appelle de l'art vivant?

Marie-Claire, s'abandonnant elle aussi à l'hilarité générale, renifla plusieurs fois en fronçant les sourcils :

— Tu n'aurais pas étalé du roquefort dessus, par hasard ?

— Remontre-nous le tableau, papa ! demanda Flora entre deux hoquets.

Maurice s'exécuta et s'empara du Michel-Ange à terre pour l'exhiber à nouveau. Une nouvelle vague d'explosions de rires éclata de toutes parts. Patricia laissa faire, rit un peu elle-même, d'elle-même et de son chef-d'œuvre en déclarant qu'elle ne le trouvait pas si mal… assez ressemblant. Le fou rire se prolongea encore cinq bonnes minutes. Il était inutile de vouloir le contrer, il durerait trois fois plus longtemps. Après tout, qu'y a-t-il de mieux qu'un vrai et bon fou rire pour consolider une famille ?

Le dîner se déroula autour de la vie d'Oscar Wilde, de son brillant esprit et de ses difficultés à être homosexuel sous l'ère victorienne, époque psychorigide et intolérante sur le sujet. Le pauvre homme avait tout de même été condamné aux travaux forcés. « On ne se rend pas compte aujourd'hui, mais c'était atroce l'Angleterre à cette époque ! » Tous les clichés sur O.W. furent passés en revue et commentés. Maurice désirait prouver que lui-même avait évolué sur le sujet et que c'était sans souci qu'il acceptait le conjoint de son fils à dîner… dès l'instant où ce dernier avait promis de ne plus jamais reparler de mariage à la con en Belgique, en Espagne ou à San Francisco…

Il n'y avait plus de problème dans la famille des non-dits. Tout était clair à présent. Clair et accepté. Non seulement cette famille restait très chic mais de surcroît elle était branchée. Que demande le peuple ? Pour approuver les nouvelles positions de son père sur la modernité de l'époque, Flora plongea sa main dans la tignasse de Lucas et le caressa comme si c'était un chihuahua.

Patricia avait bien envie d'orienter la conversation sur le terrain politique, histoire de prouver à Maurice qu'il restait un noyau d'intolérance dans sa famille. Était-il au courant du vote de Flora? Avait-il pris le temps de discuter avec sa fille? À sa décharge, elle ne semblait pas homophobe de toute évidence, c'était déjà ça. En y réfléchissant, jamais elle n'avait entendu Flora faire la moindre réflexion amenant un doute sur l'orientation de ses idées. Et si Barbara s'était trompée? Et si Flora n'avait qu'un tee-shirt, quand elle est arrivée chez elle par hasard? Patricia en était à ce stade de ses réflexions lorsqu'elle ralluma une petite bougie qui venait de s'éteindre et écarquilla les yeux d'horreur. Le briquet, qu'elle venait de prendre sur la table, était revêtu d'une flamme trico-lore, sous laquelle était sobrement écrit : « La France avec Le Pen. »

Saisie d'effroi, Patricia le laissa tomber. Un tee-shirt et un briquet. Ça commençait à faire beau-coup. Elle le reprit, entre le pouce et l'index comme si elle le sortait des toilettes, et le montra à Flora :

— C'est à toi?

— Ouais, répondit Flora en la défiant du regard.

Une gêne s'installa.

— Bravo! déclara Patricia en le laissant tomber à côté de son verre.

Flora prit l'objet qu'elle balança dans son sac.

— J'en ai vraiment assez de toutes ces idioties, annonça Marie-Claire à sa fille.

— Maman, je fais ce que je veux!

Sébastien devint blême. Patricia comprit qu'il était au courant et qu'il avait fait, lui aussi, l'autruche. Une vieille tradition familiale.

— C'était un briquet FN? demanda Lucas qui aurait juré avoir mal vu…

— Ça lui passera, déclara Maurice.

Il avait déjà éclairci un non-dit à propos de son fils, l'abcès Flora serait percé plus tard. Pas tout le même soir!

— Écoutez, si je n'ai pas le droit, vous n'avez qu'à porter plainte! lança Flora, agressive.

— Mais tu es au FN ? demanda Lucas qui aurait juré avoir mal compris...

Flora hocha la tête en signe d'assentiment.

— Bêtise de jeunesse, ça lui passera.

— Ou pas, répondit l'insolente.

— Mais tu votes comme ça de temps en temps ou tu milites vraiment ? demanda Patricia.

— Kessapeutfout ? SMS-a Flora de vive voix.

— Je vais te passer le livre de Christophe Bourseiller sur l'histoire de l'extrême droite, c'est un prof de Sciences-po que j'adore, intervint Sébastien. Je veux que tu le lises...

— D'acc, acquiesça Flora.

Si elle restait open, il y avait encore de l'espoir. Patricia prit la parole :

— Les gens nés dans les années quatre-vingt ne sont pas au courant des dérapages de Le Pen, de ses jeux de mots ignobles qui ont tant choqué la...

— Mais ce n'est pas lui ! la coupa sèchement Flora, c'est sa fille que j'aime... bien. On a la même coupe, dit-elle en passant la main dans ses cheveux. D'ailleurs j'aimerais bien avoir des mèches plus claires comme Marine, termina-t-elle en regardant sa mère.

— Je suis contre chérie, répondit Marie-Claire, tu vas t'abîmer les cheveux, elle est presque platine...

— Je veux la même couleur, rétorqua Flora en s'enfonçant dans son fauteuil, les bras croisés.

— Non.

— Si. M'en fous, j'irai quand même.

— Où ça ? demanda la mère.

— Chez Dessange, sur les Champs-Élysées. Papa me le paiera...

Ce fut la conclusion de cette conversation politico-capillaire, sous l'œil médusé de Lucas et Patricia. Les autres devaient être habitués. Maurice regarda sa montre et demanda l'addition. Sébastien se pencha vers Patricia.

— Nous, on va reprendre un café, reste un peu, on a un truc à te raconter.

— À moi ? demanda Patricia.

— Oui, confirma Lucas énigmatique. Ça devrait t'intéresser...

Maurice paya, Lucas l'ayant remercié, il se leva, suivi de Marie-Claire qui embrassa les deux garçons chaleureusement. Maurice envoya une bise à la ronde en enfilant son manteau.

— Je peux rester avec vous ? demanda Flora tout en s'enroulant dans son écharpe comme si elle connaissait la réponse à l'avance.

— Non. On a quelque chose à annoncer à Patricia. C'est... comment dire... sur sa vie privée. C'est intime et puis t'as cours demain, toi ! dit Sébastien en lui tapant sur les fesses.

Flora haussa les épaules, emboîta le pas de ses parents à contrecœur et se retourna au milieu du restaurant :

— Pédales !

Son frère lui répondit par un doigt d'honneur et elle sortit du restaurant en gloussant. Une fois dehors, elle mima à travers la vitre un téléphone comme pour s'excuser et informer son frère qu'elle l'appellerait le lendemain. Elle envoya aussi des bisous de la main à Lucas et Patricia. Les trois la regardaient médusés, une fois de plus.

— Mon pauvre chéri, elle est bien barrée ta frangine, marmonna Lucas sans desserrer les dents.

Ils répondirent à Flora en agitant les mains et elle monta dans un taxi avec ses parents. Dès qu'elle eut le dos tourné, Patricia et Lucas se ruèrent sur Sébastien : « Tu étais au courant ? Tu savais ! Oh, la vache ! Dur pour ta famille ! FN quand même ! Mais pourquoi ? Comment ! » Sébastien tenta de répondre à l'assaut. Il savait ? Oui vaguement. Il y croyait ? Pas trop. Pour Seb, c'était son petit ami de la fac qui l'avait gangrenée idéologiquement (si idéologie il y avait bien sûr, parce qu'en dehors d'une histoire de couleur de cheveux) – mais dès l'instant où elle larguerait ce connard, ce courant politique hyper ringue foutrait le camp de son cerveau en même temps que lui. Sébastien n'était pas inquiet, enfin pas trop. Il demanda néanmoins à Lucas et Patricia de ne point ébruiter leur découverte de ce soir. C'était sa sœur. Il n'était pour rien dans cette histoire et elle relevait du domaine de l'intime, du familial. Les deux autres promirent et Patricia orienta la conversation sur l'autre sujet :

— Qu'est-ce que vous vouliez me dire ?

Sébastien commanda trois cafés au serveur et annonça, l'œil pétillant :

— On a de ses nouvelles !

— Oui, confirma Lucas, on l'a revu, enfin *je* l'ai revu, cet après-midi, complètement par hasard... Je ne m'y attendais pas du tout.

— Mais qui ? demanda Patricia, qui ne comprenait rien.

— Antoine ! s'écrièrent les deux garçons en même temps.

— Ah ! pardon je n'y étais pas du tout... C'est pas vrai ? Mais où ? Comment ?

— Allez raconte-lui, lança Sébastien en payant le serveur qui déposait les cafés.

— Alors, commença Lucas, tu sais que j'adore les bandes dessinées ?

— Je ne vois pas le rapport...

— Bon j'y viens. J'ai une copine qui travaille chez Fargo Éditions, ils ne publient que des BD et je suis passé la voir car elle devait me rendre les DVD de la cinquième saison des *Experts* qu'elle nous a empruntée, ceux de Las Vegas...

— Bref, l'encouragea Patricia...

— Bref, j'arrive chez Fargo et là, accoudé à l'accueil, la chemise kaki ouverte, la tronche mal rasée du baroudeur : Antoine, ton Antoine !

— Qu'est-ce qu'il faisait là ? demanda Patricia, dévorée par le manque de ce corps qu'elle n'avait serré qu'une malheureuse nuit.

— Je passe derrière lui pour aller dans le bureau de ma copine, moi il ne me connaît pas, c'est Seb qui le connaît un peu…

— Oui, je l'ai croisé sur des émissions…

— Bref, le ré-encouragea Patricia.

— Je vais voir Caro, ma copine, et je lui dis : « T'as vu le grand type à l'accueil ? Beau mec, hein ? » Là, elle jette un œil dehors et elle me répond : « Antoine Avertin, m'en parle pas, j'en suis dingue ! »

— Quoi ? mais c'est qui cette greluche ?

— Elle est directrice artistique chez Fargo, très sympa, trente-sept ans, brune, yeux verts, divorcée, un enfant, un ex-mari qui magouille avec son avocat pour baisser sa pension alimentaire…

— Bref ! s'écria Patricia.

— Je lui demande des infos sur la présence du grand reporter, elle m'annonce qu'il a signé chez Fargo pour faire une BD adaptée de sa vie, enfin adaptée de ses multiples reportages.

Immédiatement, Patricia eut la vision de son bel Antoine suivi de Milou et du capitaine Haddock. En secouant la tête, elle chassa ce flash improbable de son esprit…

— Ses reportages en BD ? murmura-t-elle, éberluée.

— C'est une bonne idée, tu ne trouves pas ? Il paraît que le patron lui avait proposé le projet il y a des années et Antoine ne trouvait jamais le temps, or là, on m'a dit qu'il avait envie de se poser un peu. À vrai dire, il a failli se faire égorger au Timor Oriental il y a deux semaines, et il a envie de lever le pied, donc il reste à Paris et ne devrait pas repartir tout de suite. Il va travailler sur sa BD. J'ai appris que c'était Bernard Basquet qui allait faire les dessins, j'adore son coup de crayon, et Antoine va écrire le scénario, les dialogues, ce qu'il y a dans les bulles, tu vois ?

— Merci, je connais…

— La première BD devrait se dérouler en Afghanistan, ça va s'appeler *Les Maboules de Kaboul*. Si ça marche, il y en aura d'autres. Le héros devrait être inspiré directement d'Antoine, c'est sa tête que le dessinateur va faire. C'est classe, non ? J'adorerais être héros de BD…

— Oui, approuva Patricia, j'imagine déjà la BD ! La bonne nouvelle de cette affaire, c'est qu'il est à Paris pour l'instant. Je ne vous cache pas que ça m'arrange bien. C'est même top ! Bon, mes gays friends, il faut que vous m'échafaudiez un plan pour le revoir. Paris c'est bien, mais c'est grand, j'ai peu de chance de tomber sur lui par hasard. Il faut enquêter : où est-ce qu'il va travailler ? Chez l'éditeur, ça m'étonnerait. Ce sera ou chez le dessinateur ou chez lui… Lucas, tu restes en contact avec ta copine chez Fargo, tu auras des news régulièrement et toi Seb, essaye d'avoir des infos de ton côté aussi…

— Comment ? demanda Sébastien.

— Tu es au courant de toutes les soirées, les remises de prix…

— Pas plus que toi !

— Mais si, insista Patricia, regarde du côté des fêtes de journalistes et vois s'il y en a une à laquelle il est invité, par exemple. Enfin, je ne sais pas !

— Tu ne veux pas l'appeler ? Ce sera plus simple, non ?

— Bande de couillons, je vous ai déjà raconté mille fois que je n'avais pas son number. Il a fait semblant de me le donner et m'a refilé celui des Alcooliques Anonymes à la place !

— Et t'as vraiment envie de le revoir après ça ?

Patricia s'arrêta et observa ses amis.

— Disons que je passe outre. Cette blague était nulle et non avenue. Dans la vie, il faut savoir passer outre. Redites-moi, vous vous êtes rencontrés où tous les deux ?

— Derrière un buisson, avoua Lucas.

Patricia dévisagea Sébastien.

— T'es passé outre, non ?

Une fois rentrée chez elle, Patricia se coucha avec les épreuves de sept cents pages de la vie de Talleyrand et avança douloureusement sa lecture : « Il était noble comme Machiavel, prêtre comme Gondi, défroqué comme Fouché, spirituel comme Voltaire et boiteux comme le diable. »

Patricia eut soudain une idée lumineuse et fouilla dans son sac à la recherche de son portable.

Barbara décrocha au bout de deux sonneries :

— Dis-moi Barbouille, s'écria Patricia, tu as toujours les films de Sacha Guitry ?

— Oui, répondit-elle, en cassettes seulement, ils ne sont pas encore en DVD, c'est un scandale ! Je cherche partout *Faisons un rêve*…

— Est-ce que par hasard, tu aurais *Le Diable boiteux* ? C'est bien inspiré de la vie de Talleyrand ?

— Euh oui, je l'ai. C'est Guitry lui-même qui joue Talleyrand et c'est génial…

— Tu vas me prêter la cassette. Il faut absolument que je sois au courant de la vie de ce mec. À peu près. On ne sait jamais, si la cocue me pose des questions ! Là, tu m'enlèves une épine ! Plus besoin de lire son Bottin, je vais voir le film et puis c'est bon…

— Si tu veux, bâilla Barbara.

Patricia claqua son portable, satisfaite, et éteignit la lumière après avoir balancé le pavé à terre. Non mais c'est vrai, quand on travaille trente-cinq heures par semaine, peut-on en passer deux cent douze sur la vie du prince de Talleyrand ? Une heure et demie de film suffira largement.

Épisode n° 8 :
Son passage dans un appartement familial, là où les frigos sont pleins…

Quelque temps plus tard

L'espionnage du bel Antoine portait ses fruits, oui, mais des fruits tombés de l'arbre. Les gays friends, agents 000 avaient bien récolté quelques infos, le problème étant qu'elles faisaient parties du passé et n'étaient donc plus exploitables.

Lundi :

— Effectivement, on m'a dit qu'il était passé à la soirée «Reporters sans frontière» il y a une semaine, annonça Seb. Il était tout seul en plus…

— Tu ne pouvais pas me prévenir avant ?? P… de m…!!!!!!

Mardi :

— Il paraît qu'il a déjeuné avec une collègue, l'informa Lucas. Une femme grand reporter aussi. Elle est assez connue tu sais, elle a réussi à monter un hôpital à Kaboul pour les femmes et les enfants…

— Déjeuner en tête à tête ? P… de b… de m…

Mercredi :

— Il était à la terrasse du Flore vendredi en fin de journée, c'est fou non ? Ma pauvre chérie, dire que

170

tu es juste à côté ! C'est bête hein ? Il était avec un journaliste de LCI : Roger Auque, un type qui passe sa vie à Bagdad. Celui-là dès qu'il prend son micro et qu'il se met devant sa caméra, son hôtel saute derrière lui… Il faut dire ce qui est : ça devait les reposer d'être tranquilles en terrasse à Saint-Germain tous les deux ! Il est assez sexy aussi Roger Auque, tu vois qui c'est ?

— P… de b… de m… ? !!! ? !!

Patricia vira les manuscrits de son bureau, poussa un cri primal et tenta de se calmer en se faisant un décollement des racines avec les doigts. Calmons-nous et résumons : grand reporter était peinard à Paris. Monsieur déjeunait avec des copines, buvait des cafés en terrasse avec des copains et se rendait à des soirées tout seul. Patricia se demanda où en étaient ses relations avec sa femme.

Possibilité n° 1 : il y avait trop d'eau dans le gaz, ils étaient au bord de la rupture.

Possibilité n° 2 : ils se faisaient la gueule poliment en attendant des jours meilleurs.

Possibilité n° 3 : elle avait pardonné le moment d'égarement de Metz. Ils s'étaient réconciliés. Il avait promis de ne jamais recommencer et surtout pas avec une tarée comme Patricia…

La n° 3 faisait mal et vu la tronche sévère, coincée et creusée de madame, Patricia opta pour la 1 ou, au pire, la 2. Elle décida de passer à l'action.

Étape n° 1 : se lever…

… et se diriger vers le bureau de Jean-Louis, le patron ou plus exactement celui de Monique, son assistante et voisine. Les deux bureaux communiquaient par une petite porte. Monique, fidèle assistante du boss, la soixantaine non «refaite» esthétiquement parlant, laissait ses cheveux blancs tranquilles, les kilos s'installer et la peau de son cou pendigouiller tout aussi sereinement. Elle avait eu un mal fou à se mettre à l'ordinateur mais avait fini par y arriver à quelques mois de la retraite. L'assistante du patron ôta ses lunettes pendues à une chaîne quand Patricia entra dans son bureau sans frapper.

— Dis-moi Monique, on n'a pas retourné le contrat de Françoise de Lysières. Je sais qu'elle a signé les trois exemplaires mais on ne lui a pas rendu le sien...

Au poker, on appelle ça un bluff. Monique se leva et s'accroupit devant une armoire aux vitres transparentes d'où elle sortit une pochette rose. Elle chaussa de nouveau ses lunettes en se relevant et ouvrit la pochette.

— On ne lui a pas encore renvoyé le contrat mais j'allais le faire lundi, dit-elle. Elle a déjà touché son chèque d'avance, il n'y avait pas d'urgence pour le...

— Non mais elle l'a demandé, alors... je vais lui faire parvenir par coursier.

— Le livre n'est pas encore sorti ?

— Non, il est en épreuves mais on l'envoie déjà partout. On espère avoir quelques articles avant que les journalistes partent en vacances parce qu'il sort en juin, pas idéal comme date mais bon...

Monique lui tendit le contrat de Françoise et Patricia s'éclipsa avec le précieux document en main. Une fois dans son bureau, elle ramassa tous les manuscrits qu'elle avait jetés et s'installa à sa table. Elle ouvrit le contrat contenant de précieux renseignements sur sa rivale légitime. Son adresse déjà. Patricia prit un Post-it et la nota : rue des Francs-Bourgeois dans le troisième arrondissement, voilà une adresse qui lui seyait bien, ricana Patricia.

Étape n° 2 : se rendre chez lui

Aller voir. Prendre la température, comme on dit. Si on lui demandait quoi que ce soit, elle dirait que, n'ayant pas réussi à joindre les coursiers habituels, et comme l'adresse de Françoise était sur son chemin, elle en avait profité pour lui déposer son contrat elle-même...

Sympa, non ?

Il n'y avait plus grand monde en cette fin d'après-midi quand Patricia sortit du bureau et elle n'eut guère besoin de donner d'explication sur la grande enveloppe qu'elle gardait serrée contre elle. Elle avait besoin de voir où il habitait. C'était plus fort qu'elle. Lui, allait et venait dans le quartier sans se soucier d'elle. Elle, avait besoin de le récupérer à la source. Dans le taxi, elle jeta de nouveau un œil au contrat de Françoise pour voir le montant de l'avance accordée. Même si cela ne la regardait pas, elle jugea le chiffre assez énorme pour une biographie historique de sept cents pages que personne n'achèterait. Le taxi la déposa devant un bel immeuble ancien, Patricia en descendit, respira un grand coup, se dirigea vers la porte et... le code ? Oui, il n'était pas écrit dans le contrat. Patricia attendit un peu en cogitant.

Si Françoise était chez elle ? Tant pis. Elle venait juste lui déposer son contrat, il n'y avait pas de quoi l'étrangler. Certes, elle allait penser que Patricia espérait secrètement revoir son mari, c'était indéniable mais leurs relations étaient déjà tellement glaciales que foutu pour foutu...

S'ils étaient chez eux tous les deux ? Là, c'était plus encombrant mais, professionnelle, elle passait voir Françoise pour lui remettre un document et, quant à lui, si jamais elle l'apercevait : elle ne le calculerait pas. Elle avait oublié. L'aventure d'un soir n'avait jamais existé.

S'il était seul ? Là, ce serait génial...

Si les enfants étaient présents ? heu...

Patricia arrêta de penser car la lourde porte devant elle venait de s'ouvrir. Une dame en sortit et elle en profita pour s'engouffrer et se retrouver devant une nouvelle porte transparente munie d'un interphone. Décidément... Patricia consulta la liste des noms. Leurs deux patronymes étaient collés comme deux poussins frileux sur le petit bout de papier blanc. Cette proximité l'énerva puis elle réalisa que c'était mieux que M. et Mme suivis du nom du mari. Elle, écrivant ses livres sous son nom de jeune fille, ils avaient deux identités différentes. Deux vies différentes. De plus en plus différentes même… et éloignées. Non ?

Elle appuya sur le bouton de l'interphone et attendit le cœur battant.

— Oui ?

C'était une voix rauque. *La voix*.

— Bonjour, les Éditions du Volcan, j'ai une enveloppe pour Mme de Lysières.

— Quatrième.

Bruit de la porte vitrée qui s'ouvre.

Étape n° 3 : entrer

Patricia prit l'ascenseur. Coup de brosse. Coup de blush. Coup de rimmel. Coup de brillant à lèvres. Un par étage. Sur le palier, elle poussa doucement la porte entrouverte du quatrième gauche, avisa un large couloir avec de jolies tapisseries aux murs et personne pour l'accueillir. De la pièce du fond, elle entendit à nouveau la fameuse voix rauque et puis, comme une apparition, elle le vit arriver vers elle, exactement comme elle l'avait imaginé dans ses rêves éveillés, durant ses heures de travail… si ce n'est qu'apparemment il se laissait pousser la barbe. Il parut surpris de la découvrir, sans plus.

— Tiens donc, regardez qui est là. Tu fais coursier aussi ?

— Oui, après le bureau. C'est le contrat de votre épouse. C'est moi qui vais m'occuper de son livre comme attachée de…

— Je sais, elle m'a dit. Le monde est petit.

Il s'empara de l'enveloppe qu'il balança sur une commode dans l'entrée. Elle y atterrit entre les clés, les cadres de photos familiales, la pile de courrier et tout un tas de babioles aussi inutiles que décoratives ramenées de nombreux voyages.

— Je suis en train de travailler avec un copain, annonça Antoine, mais je peux t'offrir un café rapide.

— D'accord.

Patricia le suivit dans le couloir dont le parquet craquait de partout, passa devant la chambre des ados – ils n'étaient pas présents mais vu le chantier, ils s'étaient probablement entre-tués – et arriva dans le salon où un type au look rondouillard et sympathique était assis à une grande table devant de multiples planches à dessins.

— Bernard, je te présente Patricia qui travaille avec ma femme, annonça Antoine.

Patricia alla saluer le dessinateur, réalisant qu'elle haïssait sa façon de dire : « Ma femme. » Sa femme dont on sentait l'influence partout dans la déco, du lustre Ancien Régime aux fauteuils (d'inspiration) Louis XV, mélange d'ancien et de moderne grâce aux photographies représentant les dunes du Sahara sur les murs…

— On travaille sur une bande dessinée, l'informa Antoine.

— On essaye, rétorqua le dessinateur en allumant un petit cigarillo.

Patricia n'osa répondre qu'elle savait déjà.

— C'est génial, murmura-t-elle, timide, en se penchant vers les dessins au crayon.

Le visage d'Antoine, magnifiquement dessiné, les sourcils froncés. Antoine en pied, vérifiant sa petite caméra Sony dans son sac en bandoulière. Antoine négociant avec une tribu de moudjahidin pour retarder sa décapitation. Antoine assis par terre buvant un thé à la menthe avec un type enturbanné. Cette BD était déjà super sans les couleurs…

— Tu le veux avec ou sans sucre, ton café? demanda Antoine en sortant du salon.

— Avec, répondit Patricia en le suivant au pas de course vers la cuisine.

Seule avec lui dans une pièce. C'est tout ce qu'elle voulait. Elle s'assit sur un tabouret et l'observa installer une capsule de café dans sa machine à espressos. Elle avait mille questions à lui poser sur l'après-Metz, mais rien ne sortait. Elle contemplait ses gestes rapides et précis, un peu gourde sur son tabouret. Lui se doutait très certainement qu'elle avait manigancé cette histoire de contrat pour espérer le revoir. Ça devait l'amuser, sans plus. Elle le trouva un peu distant, froid et se maudit d'avoir fait tout ce chemin pour ça…

— Tiens Miss Gaffe, dit-il en lui tendant sa tasse.

Drôle d'appellation.

— Oh, ça va, ça peut arriver. Bon d'accord, j'avoue que c'était une des pires de ma vie, répondit Patricia soudain ravie qu'il évoque Metz et donc leur fabuleuse nuit ensemble.

— Je suis désolée pour Françoise, reprit-elle en se levant.

Elle but son café debout, l'observant derrière sa tasse.

— On a fini par en rire, répondit Antoine.

Cette réflexion meurtrit Patricia. Le processus de serrement de ventre avec nœuds partout s'enclencha. Elle reposa le café sur la table :

— Il faut que j'y aille, dit-elle les yeux brillants de colère.

L'aveu du grand reporter lui résonnait dans l'oreille et la torturait. C'était l'aveu du mari rentré au bercail après un petit incident de parcours, tellement petit que la seule chose à faire était d'en rire et de passer à autre chose. Elle se dirigea vers le salon, récupéra sac et manteau sur le dossier d'un fauteuil, envoya un bref salut de la main au dessinateur qui leva des yeux étonnés sur son attitude aussi fulminante qu'inattendue, et elle regagna la porte d'une démarche enragée. Tout aussi surpris par cette soudaine crispation, Antoine lui emboîta le pas dans le couloir, ne sachant trop que dire. Il lui ouvrit la porte et l'observa sur le palier attendre l'ascenseur. Une larme sillonna son profil.

— Ne lui dis pas que c'est moi qui suis venue lui déposer son contrat… Je ne veux pas d'histoires au boulot, articula Patricia sans le regarder.

Elle appuya et réappuya sur le bouton de l'ascenseur.

— Mais qu'est-ce que tu as ? demanda Antoine. Où est le problème ?

— Le problème, c'est que je n'arrive pas à en rire, moi, murmura-t-elle en étouffant un sanglot. Je n'arrête pas d'y penser…

Jugeant qu'elle en avait assez dit, elle monta dans l'ascenseur et entendit la porte de l'appartement se refermer. Adossée au mur, elle se tapa le haut du crâne contre le miroir sans chercher à retenir les larmes qui affluaient…

Étape n° 4 : courir chez meilleure amie après grosse déception

— « On a fini par en rire ! » hurla Patricia en entrant chez Barbara. Non mais tu te rends compte ! « On a fini par en rire ! » s'écria-t-elle en envoyant un coup de botte dans le canapé Ikea de Barbara.

— Calme-toi ma poulette. Tu veux un petit gorgeon ? Je suis descendue chez Nicolas dès que tu m'as appelée. J'ai acheté un grand cru spécial crise d'angoisse, ça va nous requinquer, annonça Barbara en revenant de sa minicuisine, un tire-bouchon dans la main.

— « On a fini par en rire ! » répéta Patricia en se laissant tomber dans le canapé.

— Je t'ai préparé la cassette du *Diable boiteux*, dit son amie en s'asseyant face à elle et lui désignant le film sur sa table basse.

— Je les hais tous les deux ! murmura Patricia la tête dans les mains.

— Reprends-toi ma poulette, répondit Barbara en se débattant avec la bouteille de vin coincée entre ses cuisses et le tire-bouchon.

— « On a fini par en rire ! »

— Ils sont modernes...

— « On a fini par en rire ! »

— Tu crois que tu vas pouvoir dire autre chose dans la soirée ?

— Ce n'était pas prévu qu'ils rient. Je ne veux pas qu'ils rient. Ils rient de quoi d'abord ?

— De toi...

— De moi...

— Il y a de quoi ! Et de la gaffe du lendemain surtout...

— C'était assez horrible !

— Même toi tu finiras par en rire !

— Jamais. Antoine, c'est mon coup de cœur de l'année. Personne ne rit de mon coup de cœur, coup de foudre et... coup de poignard de l'année...

— Coup de bol : sa femme ne t'a pas mis un coup de boule...

— Non, mais quel beau coup de canif dans le contrat de mariage !

— Petit coup d'un soir ne devait pas être le premier ! Sauf que là : coup de théâtre : petit coup d'un soir fait grosse boulette le lendemain. S'attendant à coup de bâton grand reporter a une explication. Donc, il en parle avec maman et coup du sort, ils finissent par en rigoler. Fin de l'histoire et gros coup de blues pour petit coup d'un soir...

— Je suis crevée, j'ai un coup de pompe...

— Bois un coup, ma poulette...

Rentrée chez elle sur le coup de deux heures du matin, c'est bien pompette que Patricia se glissa sous la couette après avoir glissé la cassette du *Diable boiteux* dans le magnétoscope incorporé à la petite télévision de sa chambre. Elle s'endormit au moment où apparaissait en noir et blanc sur son petit écran :

Décidément…

Il fallait espérer que jamais Françoise n'évoque la vie de Talleyrand avec elle.

Ni la vie de Talleyrand, ni la vie amoureuse de Patricia, ni son propre couple, surtout pas son mari, enfin rien…

La météo peut-être et encore…

« Vous avez vu ce beau temps, Françoise ? Évelyne Dhéliat a dit que c'était à cause du réchauffement de la planète…

— Oui, on croit que ça nous arrange, mais on ne voit pas tous les dégâts que cela engendre pour la faune et la flore, sans parler de la banquise qui fond… »

Ou :

« C'est pas bien qu'il fasse beau…
C'est pas bien qu'il fasse chaud…
C'est la chanson de la météo…
Le refrain du pacte écolo…
Si cher à Nicolas Hulot… »

Le 2 juin au matin

De nombreuses piles de biographies de Talleyrand arrivèrent sous plastique à la maison d'édition. La photo de couverture représentait un portrait du prince bien poudré et emperruqué. Il avait l'air mauvais comme une teigne. C'est à lui que Napoléon a dit un jour : « Vous êtes une merde dans un bas de soie. » L'on aurait pu garder cette phrase pour le titre. Au lieu de ça, il était écrit : « Talleyrand, le prince des diplomates ». Très diplomate comme titre. Patricia déchira le plastique qui entourait les piles et s'empara d'un des livres pour le feuilleter. Elle parcourut les photos de tableaux et médaillons où l'on voyait la famille royale, la duchesse de Dino, sa fille cadette Dorothée, un tableau magnifique de la salle du trône des Tuileries en 1809 où « Talleyrand, disgracié, dut remettre ses clés de grand chambellan mais il était toujours grand dignitaire du régime et assume la charge de vice-grand électeur de l'Empire. Le seul vice qui lui manquait, dira Fouché ».

— La voilà, lança Clémentine à Patricia en passant devant elle.

Patricia reposa l'ouvrage au-dessus de la pile. Coralie, la chef des attachées de presse, avait prévenu l'historienne que ses livres venaient d'arriver. Patricia s'éloigna et se retourna pour voir Françoise entrer et se précipiter vers le nouvel arrivage dans le hall. Elle s'empara d'une de ses œuvres en s'extasiant, l'examina sous toutes les coutures comme s'il s'agissait d'un bébé, l'ouvrit au hasard, lut un passage puis d'autres, vérifia la quatrième de couverture et le porta à son nez. Patricia avait souvent vu ça. Quand les livres sortaient tous beaux, tout neufs de l'imprimerie, les auteurs tous fiers les respiraient, les humaient. En général, elle trouvait cela émouvant. Pas là...

Le lendemain

Après deux heures de réunion, Patricia sortit fumer une cigarette sur le trottoir avec Clémentine. C'est dorénavant les pieds dans le caniveau et la clope au bec que s'improvisaient les débriefings, remarques, propositions et autres bilans. Les retours sur la biographie de Françoise étaient plutôt bons. Elle allait avoir quelques bonnes critiques dans des magazines d'histoire et même un petit portrait d'elle dans *Questions de femme*.

— Elle va plaire à la presse féminine, déclara Clem en expirant la fumée de cigarette par les narines. Agrégée d'histoire, romancière, épouse épanouie (hi, hi), deux enfants. C'est bon, ça...

— Peut-être, répondit Patricia. Mais moi, je trouve qu'elle n'a aucun intérêt. Elle est méchante, glaciale…

— Je ne pense pas qu'elle soit méchante. C'est vrai qu'elle n'est franchement pas chaleureuse mais, après l'histoire de Metz, si on se met à sa place…

— Elle ne m'en veut plus pour Metz…

— Ah bon, elle te l'a dit ?

— Non, son mari me l'a dit. Figure-toi qu'ils ont fini par en rire ! Je ne suis qu'un misérable petit accident sans grande conséquence.

— Ah bon, ben tant mieux, concéda Clémentine en jetant son mégot d'une pichenette. Tu dois être soulagée…

— Pas du tout.

Une fois dans son bureau, Patricia appela Sébastien. Son RG personnel n'avait pas donné signe de vie depuis quelques jours. Elle avait grand besoin de lui raconter le plan échafaudé pour se rendre chez Antoine et puis la big déception. Il fallait aussi qu'elle cesse de penser et de repenser à cette phrase : « On a fini par en rire ! » car elle était en train de développer une véritable névrose obsessionnelle. Sébastien fut amical, rassurant et optimiste comme toujours :

— Ma chérie, le fait qu'il soit plus ou moins réconcilié avec sa femme ne veut pas dire qu'il ne t'aime pas…

— Pfff…, lâcha Patricia, mal barré. En général, les gens divorcent. Ils ne finissent pas par en rire ! Quel mépris pour moi.

— On ne divorce plus pour ça aujourd'hui. Les hommes trompent, les femmes pardonnent et on repart sur de bonnes bases. Ça met du piquant dans les relations…

— Tu vas voir le piquant que je vais leur remettre ! s'énerva Patricia. Une bonne couche de harissa dans leurs vies !

— On ne divorce pas d'un séducteur, tu le sais bien. Les femmes lourdent des jaloux névrotiques qui les gluent, mais pas des types qui parcourent la planète dans tous les sens et qui sont rarement là. La Françoise doit y trouver son compte, elle a organisé sa vie en fonction, ça lui laisse du temps pour écrire…

— Trouve-moi un autre gros piment à leur faire avaler puisque ça les fait rigoler! Hein, Seb? Qu'est-ce que je peux faire?

— J'ai bien une nouvelle info sur lui mais je ne sais pas si ça peut te servir.

— Dis toujours.

— Vendredi soir, j'accompagne un de mes auteurs à «Direct 8» car il y a une émission sur les voyages, avec un débat sur les aventuriers de l'extrême et, dans la liste des invités qu'on vient de m'envoyer par mail, il y a ton Antoine. Il est même invité d'honneur, il me semble. Moi, le type que j'emmène est une espèce d'illuminé qui a traversé le Kenya à trottinette et qui en a fait un bouquin…

— Aujourd'hui dès que les gens vont pisser, ils en font un bouquin. Si tu voyais les manuscrits qu'on reçoit!

— Nous aussi. Mais lui est assez marrant. Si tu veux, tu viens à l'émission comme ça tu reverras l'élu de ton cœur, ton coup de foudre inoubliable, l'objet de tes pensées, le propriétaire de ton imaginaire…

— Tais-toi, je me rends compte à quel point je l'adore et c'est horrible!

— Oui, c'est sûrement passager. Tu t'accroches parce que les choses ne se déroulent pas comme prévu. S'il t'avait dit: «Je t'aime, on part s'installer ensemble.» Tu lui aurais répondu: «Non mais ça ne va pas! Pour qui tu te prends à me coller comme ça, pauvre merde!»

— Non, tu exagères Seb!

— Je suis sûr que non.

— Tu m'as dit que c'était quand cette émission? demanda Patricia en ouvrant son agenda.

— Vendredi prochain.

— Gé-nial, articula Patricia après un silence. Sa bonne femme n'est pas là vendredi. Elle va dédicacer ses bouquins à Toulouse. Cool cool cool… Mais s'il me voit à l'émission, je dis quoi ? Comme je n'ai pas d'auteur, il va me demander ce que je fous là ?

— Tu dis que tu es ma meilleure amie et que tu es venue me chercher pour qu'on aille dîner ensemble après… Et puis, on en profitera pour l'inviter, on ne sait jamais…

— OK. Il va encore se douter que j'ai manigancé tout ça pour le revoir. Je fais vraiment de la peine. La pauvre fille aux abois. Mais je voudrais qu'il s'explique sur le cruel : « On a fini par en rire ! » Qu'est-ce que tu en penses ?

— Tout à fait d'accord, ma chérie…

Vendredi soir

Alors là, attention. Pas de petit coup de peigne ou coup de blush à la sauvette dans l'ascenseur. Surtout pour y retourner cinq minutes après en pleurant, pas la peine… Patricia se prépara comme si elle allait remettre l'Oscar du meilleur acteur. Pour sa deuxième rencontre providentielle post-Metz, il fallait mettre le paquet. D'ailleurs, elle revêtit le même décolleté et la même jupe que le soir de leur rencontre, espérant que les mêmes vêtements déclencheraient les mêmes hormones. Après tout, il n'y avait pas de raison…

Patricia voulait arriver à la fin de l'émission. Ambiance : je viens chercher mon pote et que vois-je ? Ça alors vous ici ? Quel heureux hasard ? C'est fou la vie ! Ce destin qui ne cesse de nous mettre en présence ! On va finir par s'installer ensemble… ou par en rire…

Une fois de plus, elle songea qu'elle faisait vraiment de la peine mais, que voulez-vous, ils ne pouvaient pas se quitter comme ça…

Épisode n° 9 :
Son passage dans les coulisses de « Direct 8 » ou comment re-séduire un coup de foudre…

L'émission « Spécial aventuriers de l'extrême » se terminait une quinzaine de minutes plus tard lorsque Patricia débarqua dans les locaux modernes de la nouvelle chaîne de télévision à Levallois. Après qu'on lui eut indiqué cinq fois le chemin, elle finit par trouver le studio. Sébastien était là, figurant d'un petit public assistant à l'émission. Comme on ne pouvait guère rouvrir les portes, le voyant rouge étant allumé, Patricia décida d'attendre en régie.

— Enchaîne sur le Caucase ! ordonna le producteur de l'émission assis devant son micro et un mur d'écrans.

Apparemment, de l'autre côté en studio, l'animateur trônant en bout de table avait bien reçu l'info dans son oreillette car il demanda à l'un des six invités combien de temps il était resté dans le Caucase. L'aventurier interpellé ne se fit pas prier pour se lancer dans une grande description lyrique et passionnée du paysage caucasien au lever du soleil…

— Passe à autre chose, c'est chiant ! ordonna le producteur.

L'animateur lui coupa la parole et se tourna vers un autre intrépide lettré qui était rentré de Pékin en pousse-pousse.

Debout derrière le réalisateur, Patricia, discrète, observait sur le mur d'écrans les divers plans des cameramen. Elle y voyait, entre autres, le visage d'Antoine écoutant ses camarades le sourcil froncé. Magnifique, comme d'hab. Par la suite, le réalisateur cala un petit reportage d'une minute sur un chasseur d'anacondas que l'on voyait dans un marécage en train d'étouffer sous un monstrueux serpent de douze mètres qui s'était enroulé en colimaçon autour de lui. Il devait être à quatre secondes de la « Near Death Experience » lorsque, enfin, trois types de son équipe se décidèrent à intervenir pour dérouler la bête. Le temps pour notre héros en bermuda de récupérer suffisamment d'oxygène afin de demander à son cameraman « tu n'as pas loupé ça, j'espère ? » L'anaconda venait de se dresser subitement pour gober le micro du perchman qu'il avait pris pour un petit rongeur. Ce reportage avait eu beaucoup de succès sur National Geographic Channel.

De retour sur le plateau, Antoine prit la parole pour expliquer que son métier de reporter de guerre était à l'opposé des reportages du doux dingue que l'on venait de voir. Il ne prenait jamais de risques inconsidérés et préparait avec la plus grande minutie la logistique sur place afin d'éviter les tentatives de kidnapping et les situations fatales. En gros, contrairement au type de National Geographic, il ne recherchait en aucun cas le sensationnel, juste l'info.

— Bien sûr, répondit l'animateur, de toute façon les hommes sont bien plus dangereux que les anacondas… surtout dans les pays en guerre…

L'animateur, qui ne devait pas avoir fait Sciences-po, conclut l'émission en souhaitant un prompt rétablissement au doux dingue de National Geographic actuellement hospitalisé après avoir plongé son bras dans un terrier de mygales en Amazonie…

Les livres des invités apparurent sur l'écran tandis que le générique de fin défilait. Les projecteurs s'éteignirent ainsi que le grand sourire de l'animateur.

Les invités s'étirèrent, se levèrent et se félicitèrent en réajustant la ceinture de leurs pantalons. Le public bâilla et se redressa en se massant le dos.

L'animateur, aux dents plus blanchies que de l'argent russe dans une banque luxembourgeoise, serra toutes les mains qui se présentaient et adressa des « merci d'être venu » à qui voulait l'entendre. Les lourdes portes du studio s'ouvrirent et Sébastien fut un des premiers à sortir pour emmitoufler Patricia de ses bras :

— T'as vu ton Antoine ? Il était très bien.

— Je viens d'arriver, j'ai juste vu la fin en régie. C'était sympa ?

— Ouais, mon auteur m'a un peu foutu la honte…

— Celui qui a parcouru l'Afrique à trottinette ?

— Le Kenya, oui. Il est bien illuminé le garçon. Il a raconté qu'il avait coupé les ponts avec sa famille pour partir. Il les a aussi coupés avec la raison. En réalité, c'est avec le fisc qu'il aimerait surtout les couper, persuadé que s'il accomplit de grands exploits, l'État français cessera de le harceler avec ses arriérés d'impôts. Tu parles, chaque fois qu'il rentre, il s'aperçoit qu'il a une nouvelle majoration de dix pour cent…

Sébastien vit qu'elle n'était pas concentrée sur ce qu'il lui racontait. Et pour cause : derrière son dos, le bel Antoine se dirigeait nonchalamment vers la sortie.

— Il arrive, chuchota Patricia, il est juste derrière toi. Qu'est-ce que je fais ? Qu'est-ce je fais ?

— Tu veux que je te roule une pelle pour le rendre jaloux ? murmura Seb.

— Non, surtout pas. On n'a qu'à éclater de rire comme si je venais de te raconter un truc hypertordant !

Alors que le grand reporter franchissait la porte, ils éclatèrent d'un rire quelque peu forcé, l'air aussi naturel que les extensions capillaires de Paris Hilton. Antoine tourna la tête et découvrit Patricia en plein fou rire avec un jeune homme. Il fut content de la voir dans un meilleur état que la fois précédente. Il s'avança.

— Regardez qui est là ?

— Oh, ça alors ! s'écria Patricia en écarquillant les yeux de surprise. Vous vous connaissez ? demanda-t-elle en répondant sans enthousiasme aux deux bises qu'Antoine déposait sur ses joues.

Ce n'était pas les bises qui l'intéressaient chez lui.

— De vue, répondit Antoine en serrant la main de Seb.

— Sébastien, mon meilleur ami, annonça Patricia. Il est attaché de presse aussi.

— Je m'occupe du livre d'Albert, le type qui était en face de vous pendant l'émission, celui qui a parcouru…

— Ah ! La trottinette ? le coupa Antoine.

— Voilà oui, rijauna Seb (du verbe « rijauner » signifiant rire jaune.)

Antoine haussa les sourcils. De son regard agrandi, perçait une certaine ironie qui criait sans le dire : « Ils ne sont pas tous enfermés ! »

L'œil qui frisait du grand reporter n'échappa guère à Sébastien :

— C'est vrai qu'il raconte pas mal de conneries, avoua Seb. Il est un poil hurluberlu dans ses exploits…

— Un poil, confirma Antoine. Bon, je voudrais me démaquiller, poursuivit-il en suivant du regard les invités qui se dirigeaient vers la loge : Coiffure/Maquillage.

— J'adore ta tête comme ça. Le fond de teint fait ressortir tes yeux bleu turquoise magnifi…

Patricia s'arrêta net en sentant un pincement au poignet. Du regard et de la main, Sébastien semblait lui dire : « Pas trop de compliments. Quand on veut re-séduire, mieux vaut faire la belle indifférente. »

De toute façon, Antoine s'était déjà éloigné vers la porte. Bel indifférent : lui, il n'y arrivait pas trop mal. Patricia se tourna vers Sébastien.

— Comment tu le trouves ? Froid, non ? Distant, non ? Il s'en fout, non ?

— Je ne sais pas trop… Là, comme ça, on ne peut pas se rendre compte.

— Pfff, c'est foutu.

— L'autre jour, j'ai lu un article qui racontait que certains taureaux ne pouvaient pas baiser deux fois la même vache…

— Mais pourquoi tu me dis ça ?

— Je ne sais pas, à vrai dire… Viens, on n'a qu'à le suivre. Il faut que j'aille récupérer mon hurluberlu, le Séraphin Lampion des voyages…

Patricia et Sébastien se dirigèrent à leur tour vers la loge où la plupart des invités se battaient pour les dernières lingettes démaquillantes. Devant un lavabo, Antoine s'aspergeait le visage d'eau. Patricia arriva derrière lui, désireuse de lui demander des explications sur leur dernière entrevue mais, comme dans sa cuisine, aucun mot ne trouvait la sortie. Elle était au Louvre dès qu'il était dans le coin. Ô béate contemplation. Elle passa alors la main sous le pull d'Antoine et lui caressa le bas du dos pendant qu'il se séchait le visage à l'aide d'une serviette-éponge. Il l'observa dans le miroir et se laissa faire. Dans la loge, ce geste tendre n'échappa guère aux explorateurs écrivains qui achevèrent de détester le grand reporter qui déjà « se l'était bien pétée » pendant l'émission, et maintenant se faisait câliner par une super-jolie fille sortie de Dieu sait où. C'est en tout cas ce que pensait Albert, l'hurluberlu de Sébastien, qui lui, remplissait son sac à dos de rouleaux de papier hygiénique, de cotons, barres chocolatées et canettes de soda destinés aux invités « pour chez lui ».

— Tu as la peau douce, murmura Patricia.

Antoine se retourna et lui empoigna les épaules.

— Qu'est-ce que tu veux, Patricia ?

— Toi...

— Pas libre !

— Arrête, on croirait un W-C ! Tu l'es bien quand ça t'arrange...

— Je n'ai pas le mode d'emploi avec toi. Je ne comprends rien. On se rencontre, tu me dragues à mort...

— N'importe quoi. Je n'oserais jamais.

— Le lendemain, à peine arrivée ma femme est déjà au courant...

— Oui, c'est parce qu'elle écoutait tout et qu'elle...

— Tu me l'as déjà dit. Le hasard fait qu'en plus maintenant tu travailles avec elle, ce qui ne m'arrange mais alors pas du tout !

— Oh, tu sais, je suis impec avec elle. On ne se parle pas.

— Tu débarques chez moi à l'improviste...

— Raison professionnelle !

— Tu repars en pleurant...

— C'est de ta faute ! Vous rigolez de moi...

— Non, j'ai essayé comme j'ai pu de récupérer la situation mais c'était vraiment rude. C'est encore très tendu à la maison... Heureusement que la sortie de son livre l'accapare beaucoup en ce moment. Le seul problème, c'est qu'elle a envie de vomir dès qu'elle te voit.

— Sympa ! Tu lui diras que c'est réciproque...

— Chaque fois que je t'ai vue, j'ai eu l'impression d'avoir affronté une espèce de tornade et après j'en ai pour des semaines à tout remettre en ordre.

— Pfff, n'importe quoi...

— Mais si Patricia, je t'assure...

— Tu n'es pas facile non plus. Et le coup du numéro des Alcooliques Anonymes ?

— Alors ? Tu t'es inscrite ?

— Très drôle.

Ils laissèrent passer un silence. Ce n'était pas gagné pour Patricia. Elle tenta le regard mi-suppliant, mi-attendrissant :

— J'aimerais tellement que tu n'aies que de bons souvenirs de moi. Il faudrait…

— Me lobotomiser, coupa Antoine en récupérant sa veste.

— Ce n'est pas gentil… Qu'est-ce que tu fais ?

— Je m'en vais.

— Si je vais dîner avec Sébastien, tu viens avec nous ?

— Non.

— Allez !

Elle le regarda prendre son sac en toile kaki, en sortir son portable pour le rallumer, vérifier les nouveaux messages et se diriger vers la porte.

— Je n'ai rien dit, s'écria-t-elle en le suivant. Non rien du tout. Je n'ai pas l'habitude de supplier qui que ce soit pour dîner avec moi…

— Je n'en doute pas, répondit Antoine.

Patricia se tourna vers Sébastien, pour l'informer d'un geste qu'elle descendait à l'accueil et qu'ils se retrouvaient en bas.

— J'arrive ! lança Sébastien.

Oui. Il arrivait. Dès qu'il aurait aidé son aventurier à retrouver son collier de dents de léopard qu'un chef de village africain lui avait donné en guise de porte-bonheur et que la maquilleuse lui avait fait enlever avant l'émission pour cause de « grotesque ». Quant aux autres explorateurs, ils constatèrent que le grand reporter « qui se la pétait » ne disait même pas au revoir en partant et achevèrent de le détester.

Patricia attendit sans un mot l'ascenseur avec Antoine. Debout à ses côtés, elle glissa doucement sa main dans la sienne. Il la laissa faire. Une fois à l'intérieur, Antoine dégagea sa main et Patricia sse blottit contre son torse. Il ne répondit pas à cet enlacement fougueux, mais laissa faire. Et puis si, il répondit quelque chose, un petit murmure rauque, sans agacement, plutôt tendre :

— Tu m'emmerdes…

— Moi aussi, je t'aime, répondit-elle la joue toujours collée contre son pull en V.

Il n'avait rien en dessous. Patricia aurait pu rester dans cette position le week-end entier si la petite note de l'ascenseur ne les avait avertis qu'ils étaient arrivés au rez-de-chaussée. Antoine se dégagea pour se diriger vers la réception, suivi de Patricia dont les escarpins claquaient sur le sol à chaque pas de course. Antoine commanda un taxi à la réceptionniste. Dehors, un orage venait d'éclater, de ces orages de mois de juin bien chauds qui électrisent les âmes autant que les cieux noirs. Antoine s'avança vers les baies vitrées pour admirer l'averse.

— Tu n'as pas d'attachée de presse pour ton livre ? demanda Patricia qui ne voulait pas perdre le fil de la communication.

— Si, mais pas pour les émissions de télé. J'en fais à longueur d'année et je n'ai pas besoin de chaperon, dit-il sans se retourner.

— C'est qui ? Je la connais ?

— Non, c'est un jeune mec qui vient d'être engagé…

— Gay ?

— Je n'en sais rien, je m'en fous…

Patricia était ravie d'apprendre qu'il n'y avait pas d'autres femelles dans son style dans l'entourage d'Antoine.

— Reste avec moi ce soir, ordonna-t-elle. Je sais qu'elle n'est pas là.

Il se retourna.

— Hein ?

— Oui, elle est à Toulouse pour le week-end. Elle a une conférence demain samedi à la médiathèque de dix heures trente à midi. Déjeuner à treize heures. Signature des livres à la Fnac à partir de quinze heures. Dîner le soir à l'hôtel. Nouvelle séance de signature le dimanche matin et retour en train à treize heures cinquante et une, arrivée à Paris à…

— OK, c'est bon, la coupa Antoine.

— C'est moi qui tiens l'agenda.

— J'avais compris.

Ils restèrent silencieux, contemplant le déluge qui s'abattait sur les baies vitrées. Il attendait quoi ?

— Reste avec moi, reprit-elle doucement.

Il secoua la tête :

— C'est-à-dire… avec toi, je me demande toujours ce qu'il va encore m'arriver.

— Mais rien, voyons, murmura-t-elle.

À ce moment-là, un éclair monumental déchira le ciel et les rétines d'Antoine qui recula d'un pas en se frottant les yeux comme s'il venait de se prendre le flash d'un appareil photo en pleine figure.

— Oh, la vache ! s'écria la standardiste qui commençait à flipper, un peu trop seule dans son grand hall.

Le tonnerre ne tarda guère et fit trembler les vitres de la station de télévision. Patricia se boucha les oreilles dans un premier temps et trouva quelque chose de plus glamour dans un deuxième temps : elle se précipita dans les bras d'Antoine qui, pour la première fois, les referma sur elle :

— Il arrive dans combien de temps le taxi ? cria-t-il vers la standardiste.

— Je ne sais pas, on m'a dit dix minutes, répondit-elle en espérant qu'il ne viendrait jamais pour ne pas se retrouver complètement seule…

Les portes de l'ascenseur s'ouvrirent et Sébastien, accompagné de son hurluberlu en sortit, exaspéré.

— Eh ben, qu'est-ce qu'il tombe ! s'écria Albert, l'aventurier, ça me rappelle cette jungle en Guyane la fois où… je me suis perdu…

Sébastien, surpris de retrouver sa Patricia blottie entre les biceps du grand reporter, lui adressa un clin d'œil de félicitations en s'approchant d'eux.

— Il avait perdu son collier africain cet abruti, annonça-t-il au couple tendrement enlacé. En fait, il l'avait mis au fond de son sac, il a dû le vider et en sortir tout ce qu'il avait piqué dans la loge pour le retrouver. Il m'a foutu la honte comme jamais...

Les lèvres d'Antoine frôlaient les cheveux de Patricia.

— À chaque émission sur les aventuriers, tu as toujours au moins un type dans ce genre-là et, même si on a rien à voir avec eux, ils invitent aussi bien des grands reporters que des chercheurs d'or ou des types qui dévalent des volcans en surf. J'ai vu de tout, mais c'est vrai que celui-là, il est gratiné avec sa trottinette, commenta Antoine en le regardant discuter avec la standardiste.

Le bruit de la pluie battante sur les vitres devenait assourdissant.

Patricia, elle, fermait les yeux, appuyée contre le torse de son Antoine. Aucun orage, aucune frasque d'aucun voyageur excentrique ne pouvait lui gâcher ce pur moment. Doucement bercée dans les bras virils de son grand reporter, elle était tout simplement « trop bien ».

— Qu'est-ce qu'on fait ? demanda Seb.

Avec cette pluie fracassante, il n'avait qu'une envie à présent : rentrer chez lui, retrouver Lucas, regarder la fin d'« Envoyé spécial » puis l'émission littéraire de France 2 tout en avalant un plat surgelé Picard à faire réchauffer deux minutes trente au micro-ondes. Soirée idéale. Maintenant que les deux tourtereaux s'étaient retrouvés, sa mission était accomplie.

— Quel temps de pédé ! lança Albert en s'approchant de la sortie.

Il n'en loupait pas une. Sébastien lui jeta un regard navré sans lui répondre. Toujours enlacée, les yeux fermés, Patricia songea : « J'aurais pu la faire celle-là. » Comme personne ne renchérit sur son commentaire météo, le champion des exploits les plus cons ferma le zip de son blouson, déclara qu'il n'était pas une tafiole, histoire d'en rajouter une couche, et qu'il allait rentrer à pied. Cette course nocturne et orageuse allait le préparer à l'entraînement de sa prochaine expédition.

— Vous repartez ? demanda Antoine.

— Bien sûr, répondit Albert.

— Où ça ?

— Hou, là, là, très loin !

Sébastien échangea un regard complice avec Antoine, l'air de dire : « Le plus loin ne sera pas encore assez loin ! », mais comme personne ne le relançait sur sa destination, Albert poursuivit :

— En mer Noire…

— Où ça en mer Noire ? C'est vague. Côté turc, roumain, bulgare, ukrainien ? s'amusa Antoine.

— Ben, un peu partout. Je vais la traverser…

— La traverser ?

— Oui, à pédalo ! Sur ce m'sieurs-dames, bonne soirée ! dit-il en ajustant son sac à dos. Eh, Bastien, j'ai pas d'autres émissions la semaine prochaine ?

— Pitié, non…

— Comment ?

— Non, je disais : je vous tiens au courant, Albert ! lança Sébastien.

— Salut la compagnie ! s'exclama le voyageur en sortant.

Des bourrasques le firent tituber, mais Albert, sentant le regard des autres, retrouva son équilibre et entama sa course face au vent, le visage fouetté par des serpes d'eau. Il en avait vu d'autres, l'aventurier…

— Il habite où ce baletringue ? demanda Antoine.

— Vers Clichy, répondit Seb.

— Effectivement, c'est un bon entraînement, murmura Antoine avant d'éclater de rire.

De plus en plus serrée, Patricia s'imprégnait de l'odeur, un temps oubliée, de son coup de cœur. C'était la meilleure attente de taxi de sa vie.

Malheureusement, une Peugeot bleu foncé s'arrêta devant l'immeuble et Patricia se détacha à regret des pectoraux les mieux sculptés de l'histoire du grand reportage. Bien qu'ils n'aient rien décidé de leur destination, tous trois se préparèrent à foncer vers le taxi. Antoine remonta son col. Patricia plaça son sac à main au-dessus de sa tête en guise de parapluie et Sébastien renoua son lacet de basket. Ils sortirent au moment où un autre éclair zébra le ciel et se mirent à courir, giflés par des rafales. Patricia sourit sous le tonnerre : la foudre pour ses retrouvailles avec son coup de foudre, c'était mieux que bien, c'était parfait. Une perfection de courte durée car le talon de son escarpin dérapa sur la chaussée glissante, sa cheville se tordit et elle valdingua sur le bitume trempé. Les deux garçons revinrent sur leurs pas pour l'aider à se relever. Une douleur lancinante lui parcourut la cheville comme la fois où, en pleine partie de tennis, elle avait marché à reculons sur une balle : la douleur de l'entorse, oui elle la reconnaissait. Aidée par son gay friend et boy friend, elle regagna la voiture à cloche-pied et s'y engouffra entièrement trempée.

— Je me disais aussi ! Il ne s'était rien passé pendant un quart d'heure ! s'écria Antoine en s'ébrouant et en fermant la porte.

— J'ai mal, avoua Patricia dans une grimace.

Elle remonta son mollet sur sa cuisse, ôta son escarpin et entreprit de se masser la cheville. Sébastien donna son adresse au chauffeur pour qu'il le dépose en premier. Les deux autres pourraient décider de leur soirée, une fois qu'il les aurait quittés. Il était persuadé de ne pas leur manquer.

— Tu veux aller à l'hôpital ? demanda Antoine.

— Mais non ! s'écria Patricia. Je me suis juste foulé la cheville, je ne vais pas passer ma nuit aux urgences pour ça !

— C'est peut-être plus grave que ce que tu crois, dit Antoine.

— Mais non !

— Tu as de la pommade chez toi ? s'enquit Sébastien. Dans ta pharmacie ?

— Non, je n'ai pas de pharmacie, maugréa Patricia. J'ai un pauvre thermomètre, de l'alcool à 90° et deux vieux Doliprane. La pharma, c'est comme le frigo chez moi, en dessous du minimum syndical...

— Et chez vous ? demanda Seb à l'attention d'Antoine.

— Je crois que j'ai quelque chose, effectivement...

— Eh bien, parfait, conclut Patricia.

Antoine la dévisagea, soupira et se passa la main dans les cheveux. Patricia le trouvait encore plus séduisant les cheveux mouillés. Elle bascula pour se coller contre lui :

— Ça ne t'ennuie pas ? Il y a tes enfants ?

— Non, dit-il dans un souffle, tu ne viendrais pas sinon. Ils sont chez ma belle-mère. Elle les emmène demain à Eurodisney.

Patricia lui prit le bras et posa sa tête sur son épaule. C'était mieux que bien. C'était parfait.

Le taxi déposa Sébastien dans une rue de Montparnasse. Il donna un billet à Antoine pour la course et se fit faire une fiche par le chauffeur pour ses notes de frais. Il sortit de la voiture après avoir embrassé Patricia, serré la main du « coup de foudre » et se dirigea vers son immeuble au pas de course.

Une fois seul avec sa dulcinée éclopée, Antoine donna son adresse au chauffeur. Patricia sourit intérieurement, elle retournait rue des Francs-Bourgeois mais avec lui où il n'y avait personne, et il allait lui masser la cheville et, franchement, ça sentait bon... Belle soirée en perspective. C'est tout ce qu'elle voulait. Passer une nouvelle soirée (nuit ?) avec lui pour atténuer l'image qu'il gardait de Metz. Pas celle de leurs câlins, qui avaient été magiques, mais celle de la gaffe du lendemain qui avait tout fichu par terre. Enfin là, comme Mémère était à Toulouse pour le week-end, il n'y avait plus de risque.

Épisode n° 10 :
Son passage dans la chambre d'Antoine, un des plus beaux mecs de France… Objectivement

Arrivé devant chez lui, Antoine aida Patricia à descendre du taxi. Il la soutint jusqu'à l'ascenseur qu'elle atteignit à cloche-pied mais, une fois dans l'ascenseur, Antoine la toisa sévèrement. Il semblait vouloir dire : « Ne pense pas que tu vas m'avoir une deuxième fois, je te fais un bandage, une soupe et tu te casses. Même si tu me plais, ton prénom est synonyme d'emmerdes assurées. Je sais de quoi je parle… » Oui, il semblait vouloir le dire mais il ne le dit pas. Devant le miroir, Patricia mouilla son index pour essuyer un peu de rimmel dilué par la pluie et devant son silence réprobateur, elle prit son regard de petit faon meurtri et colla à nouveau sa tête contre ses pectoraux. Antoine, lui, envoya une prière au ciel. Toujours sur un pied, Patricia entra dans l'appartement mais, subitement, comme dans un rêve, une comédie romantique, une fin de Walt Disney, Antoine la prit dans ses bras pour la porter comme une princesse. Il ferma la porte d'un coup de talon et embarqua la jeune femme jusqu'à sa chambre. Patricia était tellement heureuse de jouer à la jeune mariée qu'elle ne sentait presque plus la souffrance de l'entorse. La douleur revint peu à peu quand elle réalisa que son prince charmant venait de la déposer sur le lit conjugal. Bon, ça ce n'était pas terrible, songea-t-elle en enlevant ses chaussures, il suffisait de ne pas y penser. À côté du lit, sur un vieux fauteuil, elle fut surprise de découvrir un gros chat dans les tons roux qui la dévisageait sans comprendre. Elle lui envoya un petit salut de la main, le chat cligna des paupières et tourna la tête. Antoine se rendit dans la salle de bains, en revint avec une trousse de secours spéciale randonnées qui foirent, pleine à ras bord de Synthol, bandes, gels, pommades, crèmes pour entorse, foulures, douleurs, déchirures musculaires… Il ôta son pull en V trempé qu'il balança sur le dossier du fauteuil (au-dessus du chat qui prit la manche dans l'œil) et s'assit sur le lit pour s'emparer sans ménagement de la jambe de Patricia. Après avoir regardé les notices de tous les tubes, il en choisit un, pressa une noisette de crème dans sa main et commença le massage de la cheville de Patricia.

— Doucement, murmura-t-elle, ravie de ce nouveau contact physique.

— Je te fais mal ?

— Ça va, dit-elle, hypnotisée par son torse nu.

— C'est très enflé. Je ne veux pas t'inquiéter mais si j'étais toi, j'irai faire une radio…

— Demain. Comment il s'appelle le chat ?

— Dagobert.

Tiens, c'est maman qui avait dû trouver le nom.

Il poursuivit son massage et fouilla dans sa trousse pour prendre une bande qu'il enroula délicatement autour de la cheville de Princess Pat puis il remonta doucement sur son mollet et déposa une bise sur son genou. Patricia étendit sa jambe pour lui offrir sa cuisse et Antoine poursuivit sa remontée.

Quasi certaine de son coup, Patricia empoigna sa crinière poivre et sel à deux mains et plaqua sa bouche contre la sienne. Doucement, Antoine bascula sur elle tout en l'embrassant. La testostérone allait se libérer pour anéantir les neurones raisonnables et récalcitrants à ce nouveau rapport sexuel hors mariage.

Comme à Metz, Antoine lui ôta son décolleté piège à grand reporter et son soutien-gorge. La bataille ne dura guère longtemps et tous les neurones raisonnables et moralisateurs furent faits prisonniers par une horde d'hormones mâles, déchaînées et surexcitées.

Comme il est écrit dans les romans d'amour, Patricia, en pleine pâmoison, était prête à s'offrir corps et âme.

Comme à Metz, il enleva son jean à la lueur des lampes de chevet.

Comme l'époque le voulait, il chercha un préservatif au fond de la trousse de secours.

Comme dans ses rêves, il s'allongea sur elle et en elle.

Comme dans un film d'auteur, ils firent l'amour devant le chat Dagobert qui ne pouvait s'empêcher de mater, aux premières loges dans son fauteuil.

Pendant ce temps-là, au Grand Hôtel de l'Opéra à Toulouse, Françoise remontait dans sa chambre après un dîner rapide et léger. Elle désirait appeler sa mère pour prendre des nouvelles de ses ados. Elle les trouvait tellement durs en ce moment. Son fils de dix-sept ans surtout, agressif, répondant par onomatopées, incapable de communiquer. Au téléphone, Geneviève de Lysières, sa mère, lui apprit qu'à Paris tout allait bien et que «les petits» avaient commandé une pizza avec une pâte américaine et qu'ils regardaient le DVD d'OSS 117. Françoise voulut dire un mot à son fils et sa mère lui passa le téléphone. Avec sa voix qui muait, Thomas, son dadais d'un mètre quatre-vingt-cinq, lui annonça dans un borborygme qu'aller à Eurodisney avec sa grand-mère, ça craignait grave et qu'il espérait ne croiser personne de sa classe ni même de tout le collège. Patiente, Françoise lui répondit qu'il allait certainement beaucoup s'amuser et lui rappela qu'il devrait prendre soin de sa petite sœur dans les attractions. Il répondit, mécontent, tout un tas de gargouillements incompréhensibles et repassa le phone à sa grand-mère. Après les recommandations d'usage, Françoise raccrocha pour appeler son mari. Elle désirait lui raconter ses impressions sur la Ville Rose et savoir comment s'était passée son émission. Les sonneries se succédèrent…

À Paris

En pleine séance amoureuse, langoureuse et charnelle, Patricia entendit les vibrations du portable dans le jean d'Antoine, posé à terre. Elle *savait* qui venait aux nouvelles. Exactement comme à Metz. « Non mais ce n'est pas vrai, pensa-t-elle, chaque fois que je me tape son mari, il faut qu'elle appelle ! C'est tout de même insensé… » Sauf que là, Antoine, l'oreille collée à la joue de Patricia, n'entendit pas les vibrations de son portable. Patricia haussa le ton de ses soupirs et gémissements pour neutraliser à coup sûr le vibreur.

À Toulouse

Déambulant devant les baies vitrées qui donnaient sur la place du Capitole, Françoise entendit la voix de son mari, mais sur sa messagerie. Assez contrariée, il faut bien le dire, elle attendit la fin du message pour en laisser un : « Antoine, c'est moi, je suis bien arrivée à Toulouse, tout va bien… Je ne comprends pas pourquoi tu ne décroches pas… Bon… écoute, tâche de me rappeler dès que tu as ce message. À tout à l'heure. »

Elle raccrocha. Pas de « je t'embrasse », rien. Une légère inquiétude l'envahit doucement. D'habitude, elle arrivait à contrôler son angoisse quand il était au bout du monde, elle n'allait tout de même pas se faire du mouron alors qu'il était à Paris. Ce n'était pas de l'anxiété, en réalité, mais une sorte de sixième sens qui venait de déclencher sa petite alarme. Quelque chose clochait...

À Paris

Les deux petites notes annonçant un nouveau message sur le portable d'Antoine furent couvertes par les cris orgasmiques de Patricia. Il ne put l'entendre, et d'ailleurs pourrait-il entendre à nouveau ? Elle venait de lui déchirer le tympan. Essoufflé et toujours en elle, Antoine attendit que son rythme cardiaque s'apaise en caressant le front de Patricia, ôtant de son visage quelques mèches plaquées par d'enivrantes suées érotiques, et déposa un baiser sur ses lèvres.

Elle ? Elle pouvait mourir à présent.

Lui ? Lui pensait qu'il devait ranger le bordel dans cette chambre. Toutes ces fringues éparpillées à terre ne le rassuraient guère. Certes, il avait le temps d'ici dimanche, mais il fallait rester vigilant, surtout avec cette cata ambulante de Patricia. Son regard croisa celui de son chat qui le fixait intensément. Il bénit la nature bienfaitrice de ne pas avoir donné la parole aux animaux et se détacha du corps de son amante pour basculer à côté.

— Je t'aime ! s'exclama Patricia.

— Oh non ! répondit-il.

— Ben si.

C'est bien les hommes, ça ! Il faudrait coucher mais surtout ne pas tomber amoureuse. Ben non.

— Dire que lundi matin je dois accompagner ta bonne femme à Europe 1, elle fait l'émission de Pradel...

— Oh non ! répéta-t-il en enlevant son avant-bras de sa poitrine.

Patricia gloussa et reprit sa main pour la remettre sur ses seins.

— Bon, oublie ce que je viens de dire. Il y a mon métier et il y a toi. Je ne mélangerai pas. Je suis très pro, tu sais. J'ai un immense respect pour mes auteurs, dit-elle en regardant les moulures au plafond.

— Tu n'as jamais songé à écrire ? demanda Antoine.

Il fallait qu'il se change les idées. La testostérone post-coïtum était en train de se dissiper et les neurones qui avaient été faits prisonniers se libéraient peu à peu. Il ne fallait pas qu'il réfléchisse à ce qu'il venait de faire. Antoine détestait se sentir coupable. Il acceptait les dangers dans sa vie, la peur, la compassion face à toutes les misères du monde mais pas les remords judéo-chrétiens.

— J'adorerais écrire, lâcha Patricia, mais j'ai eu… comment dire un blocage, un traumatisme…

— Ah bon ?

— Je voulais être écrivain quand j'étais petite mais tu sais quoi ?

— Non.

— Quand j'avais treize ans, ma sœur, qui a trois ans de plus que moi, a trouvé mon journal intime et l'a fait lire à tous les garçons de ma classe !

— Quelle conne, murmura Antoine.

— J'ai été tellement choquée et blessée que je n'ai jamais pu réécrire quoi que ce soit.

Blottis l'un contre l'autre, ils restèrent silencieux après ces confidences adolescentes et mortifiantes.

— J'ai faim, annonça Antoine.

Dans le fauteuil, le chat se redressa subitement comme pour dire : moi aussi. Antoine se leva, récupéra son Calvin Klein à terre qu'il enfila prestement et proposa le menu – tranches de rôti, gratin de pâtes – à Patricia qui accepta en s'étirant nue sur le lit. Antoine s'empara discrètement du préservatif usagé qu'il désirait évacuer de son appartement au plus vite et quitta la pièce, suivi du chat Dagobert. Une fois dans sa cuisine, Antoine prit un sac en plastique, balança la capote dedans, fit trois nœuds et jeta

le tout dans le vide-ordures. Sur la porte du réfrigérateur, Françoise avait laissé un petit mot :

Chéri, si tu utilises le four, pense à bien l'éteindre.
On n'a plus de lessive, si tu as le temps, va en ache-
ter, c'est du Dash 2 en 1 avec assouplisseur intégré.
À dimanche, Biz. Françoise.

Antoine arracha le Post-it du frigo et le froissa. Les
neurones de la raison et de la morale étaient en train
de faire entendre leurs revendications. Depuis combien de temps était-il infidèle ? La question était plus
facile si on la posait autrement : Combien de temps
avait-il été fidèle après en avoir fait la promesse au
curé ? Six ans. Six longues, très longues, années. Son
désir de séduire était revenu en force à la deuxième
grossesse de sa femme et ne semblait plus vouloir
s'arrêter. Onze ans de démon de midi. À vrai dire, et
même s'il ne l'aurait jamais avoué sous la torture,
il adorait l'effet qu'il faisait aux femmes. Lui seul
pouvait voir leurs yeux s'arrondir de manière imper-
ceptible dès qu'il apparaissait, et sentir leurs regards
appuyés sur son passage. Qu'elles soient occiden-
tales ou orientales, jeunes ou plus âgées, riches ou
pauvres, belles ou non, c'étaient souvent la même
chose. Elles le classaient immédiatement dans la
colonne mâle qui fait rêver. Et en tête de liste, s'il
vous plaît, dans cette marge où si peu de monde est
recensé, finalement. Ce n'était pas sa faute, enfin pas
entièrement, songea-t-il en faisant réchauffer l'assiette de viande dans le micro-ondes.
Alors oui, il avait couché avec son interprète
et guide à Moscou. Pendant des semaines la chanson de Gilbert Bécaud lui avait résonné dans la tête,
pourtant elle ne s'appelait pas Nathalie mais Olga.
Olga qui avait bien pleuré quand il était parti.
Antoine plaça le gratin de pâtes dans le four et laissa
ses pensées adultères revenir à lui. Pendant la première guerre du Golfe, il avait baisé une danseuse

du ventre dans le sud de l'Irak. Celle-là, il ne se rappelait même plus de son prénom, en revanche les traits de son visage lui revenaient assez bien.

Antoine ouvrit une boîte pour son chat et versa le contenu dans sa gamelle.

Aux États-Unis, il n'était pas à l'hôtel, comme tout le monde le croyait, mais chez une collègue journaliste au *Washington Post*.

Antoine prit un peu de liquide vaisselle et se frotta les mains avec. À Istanbul, il avait attrapé la femme d'un ambassadeur. Elle était sacrément sexy celle-là, très femme fatale. En réalité, sa collection de conquêtes rappelait étrangement l'intégrale de James Bond. Sans parler de celles en France. Il avait eu une aventure avec sa kiné avant d'en changer lâchement. Et puis les stagiaires au journal…

Il s'était toujours protégé et ne s'était jamais fait prendre. Jusqu'à Patricia. Il avait fait l'amour partout dans le monde et s'était fait gauler à Metz. Il avait eu bien du mal à redresser l'estime que sa femme lui portait, mais il y était parvenu, à coups de belles et rassurantes déclarations. Mais Antoine le savait : s'il mourait demain, et que selon les rites bouddhistes, on lui proposait une réincarnation, il demanderait la même gueule, les mêmes yeux surtout, le même corps, le même métier avec les mêmes voyages, la même famille, exactement la même vie…

À l'aide d'un torchon, il sortit l'assiette de viande du micro-ondes et le gratin de pâtes du four (qu'il pensa à bien fermer selon les recommandations de maman). Il ne souhaitait pas se séparer de Françoise, sa femme, sa complice intellectuelle, son amie depuis toujours, sa mère aussi… un peu. Il ramassa le Post-it froissé et le jeta dans la poubelle.

Pendant ce temps, dans la chambre, Patricia venait de trouver sous l'édredon une jolie nuisette en dentelle blanc cassé vraiment sexy. Elle tenta d'imaginer l'historienne dans ce petit vêtement de nuit, ressentit une jalousie intense et préféra voir ce qu'il donnait sur elle. Elle l'enfila et sauta du lit pour aller se positionner devant les miroirs de la penderie. La nuisette lui allait fort bien. Elle se retourna pour voir si le bout de tissu lui cachait les fesses et réalisa que non. Enfin la moitié. Dans le couloir, elle entendit Antoine qui revenait avec le dîner. Gênée à l'idée qu'il la surprenne dans la nuisette de sa femme et parce qu'elle trouvait ça très amusant, Patricia ouvrit le grand placard et se cacha à l'intérieur.

Antoine entra dans la chambre, le plateau-repas dans les mains. La pièce était vide, le dessus-de-lit froissé, les vêtements des amants toujours éparpillés au sol. Antoine posa le dîner sur le lit :

— Tu es où Patricia ? s'écria-t-il.

Silence.

— Pat, on n'a pas le temps de jouer ! Ne m'énerve pas !

Silence.

Il sortit de la pièce et se dirigea vers la salle de bains. Personne. Les toilettes ? Personne. Le salon ? Idem. Comme il la jugeait assez jeune d'esprit, il vérifia qu'elle ne se trouvait pas dans la chambre des ados en train de télécharger le dernier tube de M. Pokora. Mais non. Il avait toujours détesté jouer à cache-cache. Ce genre de situation horripilante lui évoquait ces pièces de boulevard du début du vingtième siècle, ces hommes en caleçon et chaussettes qui cherchaient leurs dulcinées en se frottant les mains et s'écriant salaces : « Où te caches-tu donc ma cocotte ? Attention j'arrive ! » Ce n'était pas du tout son truc, mais alors pas du tout. Pas chez lui, pas maintenant, pas avec elle et pas après avoir conclu, quand il était l'heure de se rhabiller et de lui appeler un taxi.

— Putain Patricia ! s'énerva-t-il en retournant dans sa chambre.

Dans la penderie, face à la porte légèrement entrouverte qui laissait passer un filet de lumière, Patricia essayait de ne pas glousser trop fort. Ce petit cache-cache improvisé lui plaisait beaucoup. Voir le grand reporter user sa patience à la chercher l'excitait. Quand il passa devant le placard, Patricia ouvrit la porte brutalement, s'empara des deux bras d'Antoine en criant : « Coucou ! » Stupéfié, le bel Antoine, en déséquilibre, heurta la marche du placard et bascula sur elle. Les deux amants s'écroulèrent sur le plancher de la penderie dans un fracas épouvantable, au milieu des chaussures de madame et des baskets de monsieur.

— Mais t'es complètement dingue ! lâcha Antoine en cherchant à se redresser. Complètement folle !

De la position allongée, il passa à quatre pattes et ramena son pied resté dans l'entrebâillement de la porte. Le panneau du placard se referma, les plongeant dans l'obscurité. Antoine s'arrêta net.

— Oh non, dit-il.

— Quoi ? demanda Patricia en tentant de s'asseoir, le nez dans les ourlets des jupes de madame.

Paniqué, Antoine se démena violemment pour ouvrir la porte.

— Quoi ? l'imita-t-il en s'escrimant. Devine ? Les portes ne s'ouvrent pas de l'intérieur. Il n'y a pas de poignées. On est coincés.

Épisode n° 11 :
Son passage en claustrophobie avec Antoine, un type de très mauvais poil

Toulouse, 23 heures 54

Françoise sortit de la salle de bains après s'être lavé les dents et enfila le peignoir de l'hôtel. Elle se dirigea vers le lit et attrapa son portable pour le consulter. Aucun message. Elle se glissa dans les draps et décida de rappeler. Une fois de plus, elle tomba sur la messagerie et raccrocha immédiatement. Elle composa alors le numéro du téléphone fixe. Si, pour une raison ou une autre Antoine n'entendait pas son portable – ce qui n'était pas impensable, sachant qu'il était sur le mode vibreur – au moins le téléphone fixe, lui, était muni d'une sonnerie stridente.

Dans le placard

Entendre la sonnerie du fixe de sa chambre plongea Antoine dans une frénésie incontrôlable. Tant bien que mal, il se mit debout et, avec le peu d'élan dont il disposait, il projeta son épaule contre la porte à maintes reprises. Quand les sonneries cessèrent, il pensa s'être démis l'omoplate.

— Vachement solide ce placard, murmura Patricia toujours assise dans l'obscurité. C'est un Roche-Bobois ?

— Ta gueule ! Je ne veux plus t'entendre ! cria-t-il en se massant l'épaule.

— Je n'aime pas quand t'es fâché.

— Ferme-la !

— Ce n'est pas de ma faute. Je voulais juste jouer un peu, t'amuser, te surprendre… Je ne pouvais pas imaginer que ce machin ne s'ouvrait pas de l'intérieur !

— Pour ce qui est de me surprendre, tu es toujours au top !

— Et toi, tu es tout le temps fâché. Depuis que je te connais, tu passes ta vie à être fâché… Et puis je te signale que c'est de ta faute si la porte s'est refermée…

Leurs yeux s'habituant à l'obscurité, Antoine s'agenouilla face à elle et lui empoigna la mâchoire violemment :

— Mais d'où tu sors toi ? Espèce de calamité ambulante ! Qu'est-ce que j'ai fait au bon Dieu pour qu'il te mette sur mon chemin ? Je suis puni ? Mais de quoi ? Pourquoi ?

— Arrête ! cria-t-elle en dégageant son visage de sa poigne. Tu me fais mal !

Toulouse, 1 heure 10

Il fallait essayer de dormir. Dormir et cesser de regarder l'heure. Cesser de se demander pourquoi Antoine n'était pas à la maison à une heure du matin. Qu'il ait profité de l'absence de sa famille pour sortir avec des copains n'était pas un drame et pouvait se comprendre. Elle n'avait jamais cherché à le cloîtrer. Mais s'il était sorti avec des amis où s'il dînait avec Bernard, son dessinateur, comme cela lui arrivait fréquemment ces derniers temps, Antoine ne la tenait jamais à l'écart de son emploi du temps ni de l'endroit où il se trouvait. Il préven ait toujours. Et qui plus est quand elle était en province. Même pas un coup de fil pour lui demander si elle avait fait bon voyage, comment était sa chambre ? Avait-elle bien préparé sa conférence pour le lendemain ? Rien. Ce n'était pas normal…

Dans son lit, Françoise cessa de zapper nerveusement, éteignit la télévision et la petite lampe de chevet. Essayer de dormir et ne plus penser. On verrait bien demain.

Dans le placard

Antoine avait beau essayer de se calmer, il ne pouvait échapper à l'angoissante agitation claustrophobe qui lui tenaillait le ventre. Il lui manquait quelques cours de méditation transcendantale tibétaine pour inspirer/expirer correctement.

— On ne va pas rester deux jours enfermés là-dedans ? Est-ce que tu te rends compte ? Tout le week-end ? Et qui va nous délivrer dimanche soir ? Ma femme ? Est-ce que tu te rends compte ?

— Surtout que je dois l'amener lundi matin à Europe 1 !

— Non, tu ne te rends pas compte !

— Mais si. Si on se mettait à hurler, est-ce que tu crois que tes voisins nous entendraient et préviendraient les pompiers, la police ?

— Je ne sais pas, lâcha Antoine en essayant de trouver une meilleure position pour son épaule.

— Tu veux qu'on essaye ?

Adossés au mur, assis l'un face à l'autre, tous deux commencèrent à crier et à tambouriner les murs et portes du placard :

— Au secours ! Venez nous aider ! On s'est enfermés (malencontreusement) dans le placard ! Appelez les pompiers ! Le GIPN ! Help ! Help ! Help ! May Day ! May Day ! May Day !

Patricia poussa aussi des cris d'actrice de film d'horreur, mais rien n'y fit. Seul un silence macabre répondit à leurs vociférations. Les murs de ce genre d'immeuble du troisième arrondissement n'étaient pas en papier à cigarette, plutôt de la grosse brique, de la pierre de taille avec laquelle on construisait les châteaux forts avec pont-levis. Si des disputes éclataient dans l'immeuble, elles devaient rester confinées chez les personnes concernées. Aucun voisin ne pouvait être au courant.

— Laisse tomber, reprit Antoine en se frottant les oreilles. Oh, mon Dieu, je ne tiendrai pas deux jours...

— Calme-toi...

— Mais non ! C'est injouable ! Impossible ! Deux jours et deux nuits recroquevillés dans le noir, sans boire, ni manger, ni pisser...

— À ce propos, comme je suis assise sur des vieilles Weston qu'à mon avis tu ne mettras plus...

— Mais qu'est-ce que j'ai fait au bon Dieu ?

— Tu n'as jamais été fait prisonnier ?

— Quoi chez moi ? Dans mon placard ? Non jamais !

— Mais je ne parle pas d'ici ! Dans tous tes coins bien craignos...

— Une fois, j'ai été retenu en otage au Tchad par une armée de rebelles, mais ça n'a pas duré longtemps...

Patricia se redressa pour s'agenouiller entre les grandes jambes d'Antoine.

— Je vais rendre ta captivité plus agréable qu'au Tchad, annonça-t-elle.

Et elle plongea sa tête entre ses cuisses.

Le lendemain. Toulouse, 9 heures 06

Après une mauvaise nuit et une bonne douche, Françoise rappela le portable de son mari. Elle ne laissa pas de nouveau message et raccrocha, véritablement inquiète. S'il lui était arrivé quelque chose, un accident, l'hôpital l'aurait appelée ? Elle se dirigea vers la salle du petit déjeuner où Clémentine, déjà attablée devant des céréales, l'attendait tout sourires. Quand l'historienne entra, Clémentine se leva comme pour accueillir un professeur d'une école privée, mais la présence de la jeune femme accrut la mauvaise humeur et l'angoisse de Françoise qui, peu cordiale, l'informa qu'elle préférait être seule pour boire son café et alla s'installer au fond du restaurant. Surprise mais peu susceptible, Clem songea que Françoise voulait se concentrer avant sa conférence à la médiathèque et termina son petit déjeuner toute seule. Elle fut d'autant plus surprise de la voir revenir trois minutes plus tard, un bol de café à la main, pour s'asseoir en face d'elle :

— J'ai changé d'avis finalement, annonça Françoise. Dites-moi, Clémentine, j'aimerais que vous fassiez quelque chose pour moi…

— Bien sûr.

— J'aimerais que vous appeliez votre collègue Patricia. Je n'ai pas pris son numéro. L'idée de l'avoir dans mon agenda me soulevait le cœur mais j'aimerais que vous essayiez de la joindre…

— D'accord… Il y a un problème ?

— Non, non…

— Qu'est-ce que je lui dis ? demanda Clémentine en fouillant dans son sac à la recherche de son portable.

— Rien, vous me la passez.

Impassible, Françoise observa Clémentine faire défiler les noms de son portable. La jeune femme cliqua sur « Calamité », le gentil surnom sous lequel sa copine était répertoriée.

— Ça sonne, dit-elle, le portable collé à l'oreille.

— J'entends…

— Ça sonne mais ça ne décroche pas. Messagerie. Qu'est-ce que je fais ? Vous voulez qu'on lui laisse un message ?

— Demandez-lui de vous rappeler, répondit Françoise en se levant et en regagnant sa table au fond de la pièce. J'en étais sûre, ajouta-t-elle.

À vrai dire, elle n'était sûre de rien, Patricia pouvait très bien dormir encore, mais quelque chose clochait, c'était certain...

Dans le placard

L'on s'était organisé comme l'on pouvait pour la nuit. Après avoir bénéficié d'un gentil câlin buccal, puis d'un autre câlin tout court, Antoine s'était calmé et avait réussi à somnoler. Les amants avaient repoussé toutes les paires de chaussures dans un coin et décroché des cintres tous les vêtements pouvant servir d'oreillers et de couvertures. Ils s'étaient endormis l'un sur l'autre, par tranche de deux heures, souvent réveillés par de fulgurantes douleurs dans le dos et ayant grand besoin de changer de position. Vers quatre heures du matin, Antoine s'était réveillé en pleine crise de claustrophobie et s'était remis à tambouriner les murs. Patricia lui avait alors prodigué une deuxième gâterie afin de faire taire cette soudaine crise de nerfs et, comme pour la première fois, cela eut les effets escomptés. Antoine avait réussi à se rendormir, la tête de Patricia sur son torse, elle-même emmitouflée dans un tas de tailleurs stricts et démodés de son épouse.

Toulouse, 10 heures 30

Bien que la moyenne d'âge du public désireux d'assister au colloque de Françoise fût de soixante-dix-neuf ans, la salle de conférences était pleine pour écouter la professionnelle de la période du siècle des Lumières. De fort méchante humeur, elle avait à peine salué les gens qui l'avaient invitée, déclarant sèchement que c'était la dernière fois qu'elle « cachetonnait ». Elle prit place à son bureau, ouvrit nerveusement son dossier, observant l'assemblée de cheveux blancs d'un œil mauvais. Ce regard noir de professeur prête à faire une interro surprise au premier bruit. Au bout de cinq minutes d'entrée en matière (pourquoi appelait-on le dix-huitième siècle le siècle des Lumières ?), la tête d'une petite vieille au premier rang tomba brusquement. L'espace d'un instant, Françoise la crut morte, décédée brutalement d'une crise cardiaque, mais un léger ronflement la rassura sur la santé de la personne. Au bout de dix minutes, alors que Françoise cherchait ses fiches sur les travaux de Diderot, elle vit Clémentine dans le fond de la salle se diriger vers la sortie. Françoise s'arrêta pour observer l'attachée de presse qui, désolée, lui mima une cigarette et sortit. À présent, elle en était sûre, elle avait raté sa vie.

Dans le placard

— J'ai mal, j'ai mal partout, gémit Antoine en se redressant. On ne tiendra pas la journée et encore moins une nuit comme ça... Ce n'est pas possible...

— J'ai mal à ma cheville, répondit Patricia sur le même ton. Quelle heure il peut être, à ton avis ?

— Je n'en sais rien, je n'arrive pas à lire l'heure, répondit Antoine en regardant sa montre.

— On doit être le matin, pronostiqua Patricia.

— Oh non... Françoise..., marmonna Antoine en se massant le front. Elle a dû appeler cent fois...

— Minimum...

— À quelle heure elle rentre dimanche ?

— Vers dix-sept heures, je crois...

— On ne tiendra pas. Jamais. J'ai faim.

— J'ai envie de fumer...

— Dire que j'avais préparé un dîner pour toi, sale chieuse, et que je l'ai laissé sur le lit, là dehors, à un mètre de nous...

— Dire que mes clopes sont dans mon sac, là, dehors, à deux mètres de nous !

— Je vais peut-être te tuer, en fait... Ça évitera des emmerdes à bien des gens et à moi, ça m'évitera peut-être le divorce...

— Tu ne verras pas beaucoup ta bonne femme quand tu seras en taule à perpète, dit-elle sobrement en lui caressant le mollet.

— Perpète pour ta vie? Mais tu l'as vue, ta vie? Tu enchaînes gaffe sur connerie, ou connerie sur gaffe. Je mettrais fin à une existence de souffrances et d'emmerdements inutiles si je t'étranglais maintenant!

— Mon père te retrouvera. Même au cul du monde, il te retrouvera pour te tuer. Et même si je suis gaffeuse, c'est vrai, je ne suis pas en dépression non plus... Je l'aime bien ma vie. Il y a plein de gens qui m'aiment, qui me trouvent drôle...

Elle étouffa un sanglot, imaginant la tête de sa mère si on la retrouvait étranglée. La méchanceté du grand reporter la bouleversait. Antoine réagit immédiatement au premier de ses reniflements. Il se redressa pour l'enlacer et l'attirer contre lui :

— Pardon, pardon, dit-il en lui caressant les cheveux. Je ne pensais pas ce que je disais, tu le sais bien... C'est cette situation qui me rend fou...

Elle s'allongea à nouveau sur lui et Antoine l'enserra fort de ses deux bras.

Patricia calma ses sanglots et s'essuya le nez contre un pantalon à pinces qui traînait par terre.

Toulouse, 13 heures 45

Elle avait eu peur subitement. Françoise la battante avait ressenti une sorte d'effroi qui lui écrasait le plexus. L'anxiété de perdre. De perdre son plus vieil ami, son mari, le centre de sa vie. Sournoise angoisse. La thèse de l'accident ne tenait pas la route, on l'aurait appelée, non? La thèse de la tromperie était plausible, mais incompréhensible. Il ne pouvait pas avoir remis ça! Pas avec elle! Patricia encore?! Alors que le couple se remettait à peine de l'épisode Metz! Elle imagina son nouveau confident à l'avenir : un avocat ventripotent et dégarni, spécialisé dans les divorces houleux, de ceux où l'on découpe les photos en deux, au lieu de lui – son mari, son ami, sa vie. Sournoise angoisse. Et si ce n'était pas l'autre garce mais une nouvelle ? Il en avait combien ? Ce n'était pas la première fois, d'accord, mais il était toujours revenu jusqu'à présent et puis en quoi le fait de coucher avec quelqu'un empêchait-il de répondre au téléphone ? Même s'il avait perdu son portable, il aurait cherché à la joindre pour le lui dire, lui raconter les circonstances et la rassurer. Sordide angoisse. Les divorcées se cachent pour pleurer. Elle envisagea son avenir en trois verbes : vieillir, grossir et mourir d'un cancer du sein détecté trop tard. Voilà où en était Françoise de ses réflexions alors qu'elle déjeunait en tête à tête avec Clémentine. Les gens de la médiathèque, devant la bonne humeur de l'historienne, avaient annulé le déj en sa compagnie, prétextant un rendez-vous chez le dentiste – tous ensemble. Un face-à-face juste animé de quelques bruits de fourchettes et de discrètes mastications.

— Elle ne vous a pas rappelée ? demanda Françoise.

— Hein ? sursauta Clémentine, interrompue dans ses rêveries.

— La pute… heu, je veux dire votre pote, votre copine, collègue, Patricia…

— Non. Zéro nouvelle pour l'instant.

— Ben voyons. Vous voulez que je vous dise, Clémentine, c'est vraiment drôle qu'elle ne réponde pas. Mon mari, non plus, ne répond pas depuis hier soir. Funny isn't it ?

— Vous pensez qu'ils sont ensemble ?

— J'essaye de ne pas penser. Et vous, elle vous a dit quelque chose ? Elle avait prévu un week-end particulier ?

— Non, rien de spécial, réfléchit Clémentine.

— Bizarre, bizarre…

— Vous vous inquiétez ?

— À ton avis gou-gourde ?

Dans le placard

Malgré leurs haleines de fennec, ils s'étaient embrassés encore et encore. Malgré la claustrophobie, l'obscurité, l'enfermement, la faim, la soif, ils n'avaient cessé de se rouler dessus, de se câliner et de se dormir dessus mais, à présent, l'envie d'uriner les torturait et les empêchait de s'allonger l'un sur l'autre. Ils s'étaient assis contre les parois du placard, entourant de leurs bras leurs jambes repliées, attendant encore et encore...

— On va manquer d'oxygène ? demanda Patricia.

— Non, il y a un peu d'air qui passe sous la porte, regarde, murmura Antoine.

Ils prenaient leur mal en patience, maintenant, n'ayant même plus la force de se laisser aller à des crises de nerf. Soudain, ils entendirent un miaulement. Le gros chat, Dagobert, se frottait contre le placard. Même s'il avait beaucoup apprécié que son maître lui laisse deux tranches de rôti sur un plateau posé sur le lit, il voulait le prévenir qu'il n'avait plus rien à becqueter depuis un bout de temps maintenant.

— Dago ! s'écria Antoine en se redressant. Essaye d'ouvrir la porte, mon chat !

— Qu'est-ce tu racontes ? marmonna Patricia.

— Une fois, il a réussi à ouvrir la porte du frigo !

Il est vrai que le matou roux avait, un jour, trouvé une ruse pour ouvrir le réfrigérateur. C'était un soir de réveillon et le plat de saumon fumé que l'on déposait à l'intérieur ne lui avait pas échappé. Il avait discrètement placé sa papatte entre le frigo et la porte l'empêchant de se refermer. Une fois seul dans la cuisine, il n'avait eu aucun mal à la rouvrir pour sauter à l'intérieur et y engloutir quatorze tranches de saumon fumé de chez Fauchon... Oui le frigo, d'accord, nécessité fait loi... Mais le placard ? Il avait rarement eu besoin d'un costume...

Toulouse, 15 heures 09

— Maman ? s'écria Françoise au téléphone. Je suis folle d'angoisse, il se passe quelque chose de pas net, je n'arrive toujours pas à joindre Antoine...

— Vous vous êtes disputés ? demanda Geneviève.

— Non, enfin... Mais tu sais, même quand il est à Kandahar, il trouve toujours le moyen de téléphoner ! J'ai appelé Bernard, le dessinateur avec qui il travaille, il n'a pas de nouvelles non plus. Personne ne l'a vu depuis son émission hier soir... Tu ne veux pas aller à la maison, voir s'il y a un message sur le répondeur dans mon bureau par hasard ? Il y a peut-être un message d'un hôpital, de la police, je ne sais pas...

— Je ne connais pas très bien ces machines, avoua Geneviève. Ce Disneyland est incroyable, darling, si on part maintenant les petits vont être déçus. Ils sont dans Space Mountain, je n'ai pas pu aller avec eux à cause de mon pacemaker ! Ta fille veut retourner sur la plage des pirates des Caraïbes. On y a passé la matinée ainsi qu'au village de Pocahontas et ton fils veut absolument visiter la maison de Psychose. Moi, je ne te cache pas que j'en ai plein les bottes et j'ai beaucoup de mal à digérer le hamburger qu'ils m'ont fait avaler dans un saloon rempli de cow-boys, j'essaye de contenir des petits rototos à l'oignon depuis une heure...

— Maman, va à la maison et regarde s'il y a quelque chose sur le répondeur, OK ? Je ne sais plus comment on l'interroge à distance alors va vérifier. Je suis folle d'inquiétude, tu comprends ? Tu as toujours un double des clés ?

— Oui, ma chérie, pas de soucis... Cesse de t'inquiéter.

Françoise raccrocha, une femme très enrobée s'approchait de son bureau à la Fnac et s'empara d'une des biographies de Talleyrand.

— C'est vous qui l'avez écrit ?

— Ben oui, lâcha Françoise de mauvaise humeur.

— C'est un sacré pavé ! s'exclama la Toulousaine en soupesant l'ouvrage comme si c'était un morceau de bœuf.

— La vie de Talleyrand a été longue, plus de quatre-vingts ans, ce qui était rare à l'époque. Son histoire fait intégralement partie de l'histoire de France…

La femme ne répondit rien, occupée à lire le commentaire en quatrième de couverture. Françoise tapota le bureau avec son stylo. Il fallait qu'elle se calme. Elle tenta le sourire crispé, option je m'intéresse aux autres, et lança aimablement :

— Quel genre de littérature aimez-vous, madame ?

— De la courte, répondit l'ogresse en reposant le livre. Sinon, les DVD, c'est par où ?

Paris, 17 heures 20. Un bruit de clé dans la porte

Geneviève fit son entrée chez sa fille, suivie de ses deux petits-enfants, mécontents d'avoir dû partir plus tôt que prévu d'Eurodisney « alors qu'ils venaient à peine de commencer le Star Tour ! » Geneviève ôta son manteau dans le salon, Éléonore, onze ans, courut dans sa chambre et Thomas alla vérifier le répondeur dans le bureau de sa mère comme le lui avait demandé sa grand-mère.

— Aucun message, annonça l'adolescent en sortant de la pièce.

— Mon Dieu, Thomas, lâcha Geneviève inquiète, avec tous les endroits que ton père a parcourus sur cette dangereuse planète, c'est à Paris qu'il disparaît ?

— Faudrait appeler le journal, proposa le fiston. Ils l'ont peut-être envoyé quelque part ? L'année dernière, on était tous prêts à partir pour Sainte-Maxime et il a dû partir pour le Liban comme ça, révéla Thomas dans un claquement de doigts, d'une seconde à l'autre !

— Mamie, il y a Bébert qui miaule, il a faim, annonça Éléonore, le chat dans les bras.

Dans le placard

Ils étaient silencieux depuis un bout de temps, somnolant, recroquevillés et sales comme des otages. La faim, la soif, l'envie d'uriner, chaque muscle tétanisé, ils étaient au supplice.

— On va mourir, gémit Patricia.

— Chut! s'écria Antoine. Tais-toi…

— Qu'est-ce qu'il y a? demanda Patricia en le voyant se redresser.

— J'ai cru entendre quelque chose, murmura Antoine.

Ils se turent, tendant l'oreille à l'affût du moindre son. Effectivement, des bruits feutrés de pas en provenance du couloir leur parvinrent.

— Il y a quelqu'un chez toi, murmura Patricia en se levant.

La joie d'être libérée lui redonna une force nouvelle.

— Il y a quelqu'un, répéta-t-elle.

— C'est peut-être la gardienne, réfléchit Antoine à voix haute, elle a les clés…

— Au secours! hurlèrent-ils ensemble en tambourinant sur les murs. Au secours! Par ici dans la chambre! On est enfermés! Vite! Au secours!

Et le miracle eut lieu. La fameuse porte s'ouvrit enfin, libérant Antoine qui, tel le génie sortant de la lampe d'Aladin, prit une énorme bouffée d'oxygène et hurla un : «Faut que je pisse!» avant de se retrouver nez-à-nez avec sa belle-mère et ses deux enfants bouches ouvertes. Immédiatement, il referma la porte sur la cheville bandée de Patricia qui hurla et s'écroula, renvoyée au fond du placard.

Les yeux agrandis par l'effroi, Geneviève réprima un cri de stupeur en voyant son gendre sortir de la penderie en caleçon. Personne n'eut le temps de lui demander quoi que ce soit, il se précipita aux toilettes. Geneviève rouvrit la porte et avisa une jeune femme en négligé ras-le-bonbon qui se tenait la cheville. Elle se redressa avec un petit sourire gêné et sortit de la penderie en tirant sur sa nuisette. Elle murmura elle aussi un : « pipi ! » avant de s'enfuir à cloche-pied.

Geneviève s'approcha du placard, vérifiant qu'il ne restait plus personne à l'intérieur et après avoir aperçu les vêtements froissés en pagaille sur le sol, elle referma la porte.

Antoine revint dans la chambre, une brosse à dents dans la bouche qu'il frottait énergiquement :

— Je peux tout vous expliquer Geneviève, annonça-t-il en ramassant son jean pour l'enfiler prestement.

À son tour Patricia revint dans la chambre et adressa quelques bonjours aux personnes présentes. Elle ramassa, elle aussi, ses vêtements : jupe, petit haut, soutien-gorge sous l'œil ébahi de Thomas, le dadais de dix-sept ans, hypnotisé par sa silhouette. Elle tournait en rond à cloche-pied dans la chambre à la recherche de sa petite culotte quand elle l'aperçut sous le fauteuil. Elle s'abaissa de la manière la plus décente possible pour la récupérer et sortit de la pièce avec ses affaires pour aller s'habiller dans la salle de bains.

— Je crois qu'il n'y a rien à expliquer, constata Geneviève. C'est assez clair…

— C'est complètement idiot, révéla Antoine, du dentifrice plein la bouche, on était là… (Il évita le désastreux « on jouait » ! à cause des enfants) et, tout d'un coup, elle a voulu me faire une surprise, elle s'est cachée et puis… heu… on est tombés à l'intérieur et on est restés coincés.

Geneviève n'avait pas imaginé sa vie comme ça. Quand Antoine avait épousé sa fille, elle s'était immédiatement vue en train de préparer une belle réception pour célébrer, en compagnie de ses amis et quelques relations très jalouses, le prix Albert Londres que son gendre allait certainement recevoir un jour ou l'autre. Au lieu de ça, elle le délivrait de sa penderie où il s'était enfermé avec sa maîtresse, non ce n'est pas ça qu'elle avait prévu...

Néanmoins, Geneviève ne désirait pas se lancer dans une scène de ménage à la place de sa fille, surtout pas devant les enfants.

— C'est qui la dame ? demanda Éléonore.

— C'est rien, c'est une copine, l'informa son père.

— Allez dans votre chambre, mes enfants, dit la grand-mère en les poussant gentiment vers la sortie.

Elle trouvait que son gendre ne se démontait pas trop, compte tenu de la situation affreusement embarrassante. Tout en poursuivant son brossage de dents, il rangeait la chambre, retendait le dessus-de-lit où se lisaient encore les marques de son adultère, tapait les oreillers sans se départir de son assurance que tout le monde, au début, avait pris pour de la confiance en soi. Ce crâneur avait un de ces aplombs !

— Vous imaginez bien, commença Geneviève, que je vais être obligée de raconter tout ce « bazar » à ma fille !

Le bel Antoine passa devant elle :

— Racontez ce que vous voulez, Geneviève !

Il lui avait postillonné du dentifrice sur le revers de sa veste. Geneviève gratta de son ongle la petite tache incrustée dans son velours côtelé.

Une fois dans la salle de bains, Antoine se rinça la bouche et avisa dans le miroir Patricia qui se rhabillait.

— Putain, ça craint, chuchota Miss Cata en chaussant ses escarpins.

— Tu peux le dire ! répondit Antoine en s'essuyant la bouche à l'aide d'une serviette-éponge.

— C'est ta belle-mère ? Elle va tout raconter à Françoise ?

— Il y a des chances...

— Putain, ça craint ! Comment je vais faire au bureau, moi maintenant ?

— Et moi ? Comment je vais faire *moi* ?

— Toi, tu t'en fous, tu n'es jamais là ! dit-elle en s'essayant sur le rebord de la baignoire pour vérifier le bandage de sa cheville.

Pendant que les amants chuchotaient dans la salle de bains, Geneviève prit son portable, décidée à mettre un terme à l'inquiétude de sa fille qui décrocha à la première sonnerie.

— Je l'ai retrouvé ! s'écria la grand-mère. Cet imbécile s'était enfermé dans votre penderie !

— Quoi ? hurla Françoise.

— Il était dans le placard, tout bêtement, depuis hier soir... Coincé ! Quel gland !

— Ce n'est pas possible...

— Eh si, darling...

— Mais comment il a fait pour s'enfermer tout seul ?

Geneviève hésita.

— En réalité chérie, il n'était pas seul... Il était avec une copine, révéla Geneviève en reprenant les termes de son gendre. Je suis désolée ma Fran-Fran, mais ton julot te trompe. Il a une jeunette en nuisette.

Françoise s'en doutait mais se l'entendre confirmer de la bouche de sa mère lui fila un choc.

Après un long silence elle lâcha :

— La fille, c'est une grande cruche qui a toujours l'air à côté de la plaque ? Patricia, elle s'appelle, non ?

— Heu, je ne sais pas, attends...

Geneviève ouvrit la porte de la salle de bains et avisa la jeune femme assise sur le rebord de la baignoire.

— Dites-moi, mademoiselle, votre prénom, c'est Patricia ?

— Oui, répondit l'intéressée.

Geneviève lança un regard méprisant et satisfait à Antoine qui se rasait. Elle plaça de nouveau le portable contre son oreille et s'écria avant de tourner les talons :

— Exact chérie, comment tu le sais ?

— Elle est encore là ? hurla Françoise au bout du fil.

— Oui, oui, ils font un brin de toilette. Ils se rhabillent.

— J'arrive, décréta Françoise. Je saute dans le premier avion et j'arrive !

Dans l'avion

Françoise réprima ses larmes de rage autant que possible en attachant sa ceinture et sortit son petit magazine de sudoku. Elle n'arrivait pas à se concentrer. Elle avait planté tout le monde à Toulouse en prétextant un souci familial urgent. Il était certain qu'ils n'allaient pas la réinviter de sitôt. Au bout de dix minutes, elle n'avait trouvé que deux chiffres et avait entièrement rongé la petite gomme au bout de son crayon à papier. Elle rangea le journal et s'empara du dernier roman de Katherine Pancol qui pesait lourd dans son sac, six cent cinquante pages, et repensa à la Toulousaine de cet après-midi qui appréciait la littérature courte. Elle tenta d'avancer un peu sa lecture mais *Les yeux jaunes des crocodiles* était un roman sur la vie, les hommes, les femmes, l'usure de l'amour, du couple, de l'apparence, et traitait beaucoup de l'adultère. Pas idéal pour se changer les idées mais parfait pour s'identifier. Elle tomba sur ce passage :

« Ou bien ils sont beaux, virils et infidèles… et on pleure !

Ou bien ils sont vains, fats et impuissants… et on pleure !

Ou bien encore ils sont crétins, collants, débiles… et on les fait pleurer !

Et on pleure de rester seule à pleurer… »

Elle referma le livre. Elle avait du bol, elle avait hérité de la première catégorie. Sa jambe droite gigotait, son pied tressautait sans qu'elle parvienne à l'apaiser. Oui, la vie lui avait refilé le beau mec, viril et queutard. Elle n'allait pas pleurer mais lui mettre une grande tarte dans la gueule en rentrant. Elle repensa à ses beaux discours après l'épisode de Metz. La sérénade des excuses. « Je ne comprends pas ce qui s'est passé. Tout a été si rapide. Les filles d'aujourd'hui vont vite en besogne. Je n'ai rien fait, elle m'a sauté dessus comme la misère sur le tiers-monde ! Je t'assure Françoise… Tu es tout pour moi. Tu es ma famille. Hors de question que je quitte ma famille pour une passade, c'est absurde. On ne se sépare plus pour des broutilles comme ça de nos jours ! Tu n'oserais pas me priver de mes enfants, déjà que je ne les vois pas beaucoup ! Merde Françoise, tu n'es pas catho intégriste tout de même ! Je n'y peux rien. Tout le monde me dit que plus je vieillis, plus je prends du charisme, de l'intensité. Une fille au journal m'a dit : « Antoine, chaque fois que je te vois tu es encore plus beau. » Ce n'est pas de ma faute, je te raconte ça parce que je suis franc, je dis toujours les choses, tu sais… »

Oui, une bonne beigne dans sa sublime gueule et ses valises (toujours prêtes) sur le palier. Quant à elle ! Pat, la petite pute : elle allait s'occuper de son cas.

Épisode n° 12
Son retour chez elle, les copains,
une pizza sans champignons et
des questions existentielles

Patricia déposa la nuisette de Françoise sur le rebord de la baignoire. Sur son cher portable enfin retrouvé, Antoine consultait les quatre-vingt-sept appels en absence de son épouse légitime. Aussi étrange que cela puisse paraître, il n'avait même plus envie de se battre avec Miss Poisse. Même plus envie de lui dire : « Dépêche-toi de te barrer ! » Son mariage était en vrac, toute sa proche famille était au courant de son infidélité et elle était encore là, à traînasser dans la salle de bains, la mine contrite, marmonnant des : « Je suis désolée, vraiment. » Et lui, comme la première fois où il avait couché avec elle, il avait le sentiment de contempler sa baraque sur une plage de Floride après le passage d'un cyclone et le bureau de son assureur qui sonne occupé. Il était laminé. Des mois pour tout remettre en ordre. Et ça allait être plus compliqué que la première fois, très certainement.

— Je te demande pas quand est-ce qu'on se revoit ? susurra Patricia.

— Non, vaut mieux pas.

Il s'était retourné, adossé au lavabo. Elle s'approcha, enlaça sa taille et appuya sa tête contre son torse :

— Je t'aime.

Il ne répondit rien, profitant de ce moment de calme avant la deuxième tempête qui n'allait pas tarder à rentrer. Doucement, il caressa ses cheveux. Il les embrassa même. Il ne savait plus où il en était.

À l'aéroport, devant le tapis roulant qui lui ramenait son bagage, Françoise, plus stressée que jamais, décida d'appeler Jean-Louis, éditeur de son état et patron de Patricia. Oui, elle allait tout raconter au big boss et ensuite à Coralie, la chef des attachées de presse. Lundi, toute la boîte serait au courant. On allait bien voir comment Jean-Louis négocierait le dossier Patricia. «Que j'aimerais qu'il la vire comme une merde !» pensa Françoise.

En ce début de soirée, Jean-Louis entamait sa cinquième coupe de champagne au bar du Lutétia avec une romancière ravissante qu'il tentait de convaincre d'abandonner sa maison d'édition pour venir publier chez lui, lui promettant de belles avances et ne se gênant point pour lui en faire lui-même quelques-unes. La romancière, qui répondait : «Faut voir», fut interrompue par la sonnerie du portable de Jean-Louis. Il s'empara du téléphone dans la poche de sa veste et murmura un sensuel «Excusez-moi» en cliquant sur la touche. La jeune femme entendit des éclats de voix dans l'appareil et vit Jean-Louis écarquiller les yeux puis froncer les sourcils, refroncer les sourcils, et alternativement : «Calmez-vous, Françoise, je ne comprends rien… je… quoi ? Il y a votre portable qui coupe, je n'entends pas les fins de phrases. Mais quel mari ? Quel placard ? Quelle maîtresse ? Vous voulez écrire du théâtre, Françoise ? On ne publie pas de pièces, nous… Faudrait voir à L'Avant-scène, c'est une bonne maison… On se rappelle lundi, Françoise ? Je vous entends mal et je suis occupé. Au revoir.»

Heureusement, Jean-Louis n'entendit pas Françoise de Lysières comparer sa société d'édition à un bar à putes de Las Vegas et replaça son téléphone dans la poche de sa veste. Il reprit la main de la belle romancière, qu'il avait abandonnée un instant, et la porta à ses lèvres. Il sentait qu'elle était sur le point de plier. Il allait réussir à la débaucher de sa maison d'édition et à la débaucher tout court.

— C'était qui ? demanda la jeune femme.

— Une folle, répondit-il.

Coralie était dans son bain quand son portable lança le tube de Boney M. qu'elle avait installé comme sonnerie. Coralie aimait bien parler au téléphone dans son bain. Elle espéra un ancien amant ou un nouveau prétendant qu'elle allait pouvoir exciter en lui faisant entendre le bruit de l'eau, de la mousse avec laquelle elle jouait, il l'imaginerait nue dans sa baignoire et elle prendrait sa voix de réceptionniste de messagerie lubrique pour lui raconter qu'elle était en train de passer son éponge de mousse sur ses seins et que c'était bien agréable. À ce moment-là, l'imbécile commencerait à transpirer au bout du fil en lui demandant moult détails. Elle espéra de tout son cœur que ce soit Éric Hermann. Le sublime Éric H. Quand il avait invité l'autre cruche en week-end chez lui, Coralie en avait fait une jaunisse. Elle lui avait envoyé un mail pour lui narrer le fond de sa pensée. Lui avait dit :

Serial Gaffeuse porte la poisse. Ici, tout le monde le sait. Préfère te prévenir. Il y a deux ans, un copain l'a invitée aux sports d'hiver dans son studio à Val-d'Isère. Il s'est cassé les deux jambes le premier jour en fonçant dans un sapin et, pendant ce temps-là, à Paris, son chauffe-eau explosait. Il a passé tout l'hiver dans le plâtre et sans chauffage. Il est persuadé que tout est de sa faute. Elle a été envoûtée. Si tu l'invites chez toi, appelle un marabout avant, qu'il égorge un poulet pour protéger ta maison. Sinon, attends-toi à la fuite de gaz, inondations, invasion de cafards, tempêtes, vents à 150 à l'heure et peupliers qui s'écroulent sur ta toiture ou que sais-je encore, avec elle tout est possible...

Superstitieux comme il l'était, Éric H. avait pris au sérieux ce message. Ne pouvant plus reculer, il avait invité des copains afin qu'ils gardent un œil sur elle. Quant à lui, il ne l'avait pas touchée. Évitée même, on peut le dire. Le dimanche, il avait renvoyé un mail à Coralie pour lui dire qu'il ne s'était rien passé et que sa baraque était encore debout quand il l'avait raccompagnée à la gare. Satisfaite, Coralie avait repris le flambeau de cette séduction avortée. Vu la mine défaite de Patricia le lundi matin, elle avait compris qu'il n'avait pas menti, d'ailleurs ils ne s'étaient jamais reparlé depuis. Oui Éric H. était à elle. Rien qu'à elle. La belle et grande Coralie ne faisait jamais de gaffe. Elle préférait la dissimulation et le calcul froid à la spontanéité et la sincérité. Elle se leva et prit son téléphone qu'elle avait laissé sur une étagère au-dessus d'une pile de serviettes. Numéro masqué. Elle s'accroupit et se laissa glisser sensuellement dans la mousse en cliquant sur la touche du portable :

— Allô, dit-elle de sa voix rauque et langoureuse.

— Bonsoir Coralie, c'est Françoise de Lysières à l'appareil. J'espère que je ne vous dérange pas ?

« Merde », pensa Coralie.

— Bon, ben je vais y aller, dit Patricia.

— Oui, il vaudrait mieux, avoua Antoine.

Dans le couloir, mamie Geneviève faisait les cent pas, les bras croisés. Les ados s'étaient réfugiés dans la cuisine pour se faire chauffer un chocolat chaud et chuchoter à loisir.

— Qu'est-ce qu'il se passe quand c'est les grands qui font des bêtises ? demanda Éléonore à son grand frère.

— Ça gueule comme pour les petits, répondit Thomas. Crois-moi, ils n'ont pas fini de se chier dans les bottes !

Éléonore gloussa à cause des gros mots.

Dans la salle de bains, les amants chuchotaient aussi. Et, au milieu de ces murmures, de part et d'autre du couloir, Geneviève arpentait le corridor avec l'allure d'une sentinelle qui faisait craquer le parquet sur un rythme régulier. Elle avait tout son temps. Ils allaient bien finir par sortir. Effectivement, au bout de quelques instants, la porte de la salle de bains s'entrouvrit et Patricia fit irruption dehors, très gênée devant la belle-mère à qui elle adressait des petits sourires embarrassés. Son gendre lui emboîta le pas.

— Je la raccompagne, lança-t-il à Geneviève.

— Faites donc, mon ami, je vous en prie.

Il lui sembla entendre un ricanement étouffé. Ils ne se foutaient pas d'elle tout de même ! Ils n'étaient pas en position. Elle les observa marcher rapidement jusqu'à la porte d'entrée comme deux élèves pris en faute sortant du bureau du proviseur. Quel toupet !

Sur le palier, Patricia appuya sur le bouton de l'ascenseur et se retourna pour enlacer son amant. Elle n'aimait pas les adieux mais peut-être n'en était-ce point un ?

— Rappelle-moi. Je t'en supplie, je ne ferai rien, plus rien. La prochaine fois, je ne bougerai pas une oreille. Je serai l'ombre de ton ombre, l'ombre de ton chien… ou de ton chat plutôt, l'ombre de ce que tu veux, de moi-même ! Promis, juré !

— Tous les cyclones devraient porter ton nom…

— Tu me l'as déjà dit…

Il abaissa son visage vers le sien et Patricia se hissa sur la pointe des pieds pour atteindre ses lèvres. Ils s'embrassèrent. Malgré « tout ça », elle avait droit à un baiser. À un beau baiser d'au revoir. Pas d'adieux.

Il allait rappeler, c'était certain. Elle ne se lassait pas de sa bouche. À vrai dire, c'était réciproque. Il aimait beaucoup la sienne aussi.

« Finalement, je me sens moins angoissée que prévu », songea Patricia, aux anges.

Dans le couloir, comme son gendre avait légèrement rabattu la porte derrière lui, Geneviève se dévissait la tête pour les apercevoir sur le palier. Ils ne se bécotent pas tout de même ! Elle aurait juré que si. « Ma parole, je n'ai pas la berlue ! » L'ascenseur atteignit le quatrième étage, elle entendit les amants maudits se murmurer des mots doux qui ne parvenaient pas jusqu'à elle et Patricia disparut. Son gendre, quant à lui, réapparut, ferma la porte doucement, resta quelques secondes devant sans bouger puis se retourna, l'air absent, et se dirigea vers sa chambre. Quand il croisa Geneviève dans le couloir, elle lui jeta glaciale :

— Je rêve. Dites-moi que je rêve ?

Antoine ne répondit rien. Dans sa chambre, il ouvrit le placard et entreprit de défroisser les vêtements pour les remettre sur leurs cintres. Certaines jupes de Françoise avaient des traces un peu suspectes. Il regarda l'heure, le pressing était fermé maintenant. Il embarqua les deux jupes fraîchement souillées de ses exploits dans la salle de bains, mouilla le gant de toilette de son épouse et commença à nettoyer les traces à la main en songeant à Bill Clinton et à son histoire de robe tachée que Monica avait conservée comme preuve. Éliminer ces preuves. De toute évidence, dans son cas, avec trois témoins, personne n'avait besoin de preuves supplémentaires, il fallait juste sauver les meubles. Françoise n'avait pas besoin de savoir qu'il avait sauté Patricia sur ses fringues. Les traînées suspectes furent remplacées par des traînées d'eau y compris sur une jupe grise qui ne tolérait qu'un nettoyage à sec. Il replaça les vêtements sur les cintres, rangea les chaussures et le placard reprit un aspect normal. Affamé, il se dirigea vers la cuisine et se prépara un énorme sandwich. Les enfants cessèrent de chuchoter quand il entra et observèrent leur père sortir le beurre et le jambon du réfrigérateur tout en empoignant le pain de mie et les cornichons.

— Ça va les enfants ? demanda Antoine qui en avait marre des silences et des regards lourds de sous-entendus.

— Oui.

— C'était bien Eurodisney ?

— Oui.

— Il a fait beau ?

— Oui.

— Vous avez été sages ?

Immédiatement, il regretta cette phrase.

— T'en as de bonnes ! répondit Thomas, son fils.

Antoine embarqua le copieux sandwich et la bouteille de Coca-Cola dans le salon. Pourquoi Geneviève restait-elle là, dans son couloir, plantée comme un garde en haut d'un mirador ? Elle pouvait partir maintenant. Il alluma la télé, il était accro aux infos, à l'actualité, il voulait savoir où se trouvaient ses collègues, où en était le Moyen-Orient. Il zappa sur I-Télé et s'écroula dans un des moelleux canapés blancs. Ça pétait à nouveau au Liban. Il allait probablement y retourner. Il croqua une énorme bouchée de sandwich et tenta d'apaiser son anxiété. Un deuxième tsunami allait arriver et il allait être costaud. Françoise n'était pas la dernière de sa classe en ce qui concernait les bonnes engueulades. Il fallait tout expliquer avec elle. Elle aimait les détails, comme tous les écrivains. Le souci du détail. Rien n'est pire pour un homme que donner ces infinies précisions sur des émotions aussi personnelles que mal définies. Choisir le mot adéquat : Pourquoi une autre ? Pourquoi elle ? Elle ! Qu'est ce qu'elle a de plus que moi, elle ? L'homme reste dans le flou et, plus il reste vague et mystérieux, plus la femme se torture, inventant elle-même les réponses. Dure épreuve que d'analyser un sentiment, une sensation. En général, tout ce qu'ils arrivent à dire, les hommes, se résume à : « Mais non, elle n'est pas plus belle que toi ! Mais non, je ne l'aime pas plus que toi ! Enfin Bibiche, arrête ! Tu te fais du mal pour rien ! »

Antoine réfléchissait. Qu'est-ce qu'il allait bien pouvoir raconter ? Comment justifier son attitude ? Et l'histoire du placard, ce n'était pas ridicule ça, comme truc ? Elle allait demander plein de détails, se rouler dans sa souffrance et lui renvoyer le tout à la gueule comme un boomerang. Il réalisa qu'il n'avait aucune envie d'expliquer quoi que ce soit. Il n'avait rien à lui dire…

Quelle gourdasse aussi, celle-là ! fulmina Françoise dans le taxi qui la ramenait chez elle. Elle avait tout raconté à Coralie, lui avait parlé comme à une amie auprès de qui on cherche du réconfort, mais plus elle se confiait, plus elle entendait des bruits de flotte en guise de soutien moral ! « Gloups, plouf, plouf, plaf, plif ! »

D'accord, elle lui avait annoncé qu'elle était dans son bain, mais elle ne jouait pas avec un canard en plastique, tout de même ! En réalité, Coralie se rasait un mollet en l'écoutant et plongeait régulièrement le rasoir dans l'eau. Tout ce qu'elle avait pu dire à l'historienne pour la soulager de ses misères conjugales était : « Ça ne m'étonne pas. Vous savez dès qu'elle est dans le coin, Patricia ! plouf, plouf ! Enfin ça ne m'étonne pas, quoi… Plaf ! » « Effectivement, songea Françoise. Ça n'avait pas l'air de l'étonner du tout, je dirais même qu'elle semblait s'en contre-foutre de mes histoires ! Quelle ânerie d'avoir changé d'éditeur. Quel tas d'incapables dans cette boîte ! Je suis presque arrivée, ouf ! Vite la maison. J'espère que ma mère est toujours là, l'autre enfoiré ne perd rien pour attendre. Jamais mon cher père, que Dieu ait son âme, n'aurait fait ça à ma mère, jamais ! »

Elle descendit du taxi et fit rouler sa petite valise jusqu'à la porte de son immeuble. Antoine. Elle le connaissait depuis si longtemps. Elle aurait peut-être dû parler depuis toutes ces années, parler de la fidélité, un sujet tabou pour les couples parce que tombant sous le sens. Savoir ce que cela représentait pour lui. Pas grand-chose, très certainement. Elle appuya sur le bouton de l'ascenseur en se remémorant la première fois qu'elle l'avait vu.

La première fois que leurs regards s'étaient croisés, Françoise avait eu la sensation d'être sur scène. Ses yeux bleu acier vous projetaient dans la lumière, vous enveloppaient de chaleur et vous rejetaient dans une froide obscurité dès qu'il détournait son attention de vous. Elle s'était évanouie quand il l'avait demandée en mariage, voilà bientôt dix-huit ans. Ah, vraiment, elle pouvait bien traiter toutes les filles de gourdasses autour d'elle, il fallait dire ce qui est : elle avait été leur reine, leur impératrice. Il l'avait épousée la petite prof d'histoire, elle allait être une bonne mère responsable et aimante, une bonne épouse, attentive et bienveillante. Il aurait l'équilibre d'un vrai foyer et ça ne l'empêcherait pas de prendre du bon temps avec des filles un peu moins… sérieuses, moins « prise de tête », c'était ça son expression. Il lui avait sorti ces trois mots incompréhensibles à leur retour de Metz ! « Françoise, ce que tu peux être prise de tête par moments ! »

Tu vas voir ta tête, enfoiré…

Elle engagea sa clé dans la serrure mais n'eut guère besoin de la tourner, sa mère s'était précipitée pour lui ouvrir. Les deux femmes tombèrent dans les bras l'une de l'autre, prouvant leur complicité dans cette dure épreuve que la vie leur infligeait. Prêtes à affronter le mâle, on ne sera pas trop de deux.

— Il est dans le salon, chuchota Geneviève. Il regarde la télé, tranquille. Tu sais qu'il ne manque pas d'air. La petite jeune est partie…

Françoise posa sa valise, ôta sa veste et se dirigea vers la cuisine pour embrasser les enfants et leur demander d'aller dans leur chambre. Sentant que ce n'était pas le moment de la contrarier, ils obéirent sans poser de questions : « Ça va péter… », avait murmuré Thomas.

Talonnée par sa mère, qui ne voulait pas louper une miette de la scène, Françoise entra dans le salon. Comme s'il avait entendu un juge dire : accusé levez-vous! Antoine se redressa, figé devant les deux femmes. Sans rien dire, Françoise arriva droit sur lui et lui envoya la beigne dont elle rêvait depuis des heures, une gifle à assommer un buffle qui réexpédia Antoine dans son canapé. Certes, ça n'arrangeait rien mais ça faisait un bien fou.

— Dégage Antoine, je ne veux plus te voir! Tu prends tes affaires et tu t'en vas!

— Mais je vais où?

— Où tu veux, je m'en fous!

Et elle sortit de la pièce le menton en l'air, toujours talonnée de sa duègne :

— J'étais comment? demanda Françoise.

— Impeccable, répondit Geneviève.

Patricia laissa l'eau couler sur son visage. Depuis une heure qu'elle était sous la douche, sa mémoire lui lançait des flashs de sa soirée comme on balance des extraits de films à la télévision le mercredi. « Mettons les choses à plat : cette soirée a été catastrophique, la pire de ma vie, je dis ça chaque fois, mais là j'ai encore explosé mon forfait… Cela dit, l'addition est moins hard que prévue. Grand reporter semble avoir déposé les armes. Il m'a refilé son numéro. Je ne dirai pas qu'il va finir par s'attacher, mais il était moins fâché qu'à son habitude, alors que les choses ont gravement empiré, il faut bien le dire… Pas fâché, non. Il avait l'air sonné, le pauvre, il n'avait pas encore récupéré ses esprits, prêt à partir en maison de repos sans faire d'histoires. J'espère que je ne suis pas en train de le rendre fou… enfin si, en réalité j'aimerais bien… »

Tous les hommes devraient savoir qu'une femme trompée est plus experte qu'un agent de la police scientifique pour récolter le moindre indice sur une scène de crime. Françoise n'avait pas eu besoin de plonger sa chambre dans l'obscurité et d'y installer le luminol bleu pour détecter en un coup d'œil les traces de fluides corporels suspectes sur son beau dessus-de-lit. Il lui avait fallu un quart de seconde pour déceler cheveux, poils pubiens ne lui appartenant pas, une demi-seconde pour découvrir une minuscule trace de rimmel sur sa taie d'oreiller, une seconde pour voir le haut de la couette légèrement froissé par une traînée de sueur récente. Il n'y avait pas de trace de sperme mais, en effectuant un prélèvement, elle était certaine de retrouver l'ADN de Patricia dans quelques sécrétions au milieu de son joli couvre-lit molletonné à motifs roses.

— C'est ici que ça s'est passé ? articula-t-elle.

Face à elle, Antoine pliait un bas de jogging qu'il mettait dans un sac de voyage.

— Ben oui. Je ne l'ai pas emmenée dans la chambre des gosses…

— Dans ma chambre, sur mon lit, répliqua-t-elle avec une grimace de dégoût.

Antoine s'empara de ses tec-shirts qu'il balança dans son sac sans répondre. D'un geste sec et précis, Françoise vira son couvre-lit sur le sol et dégagea tous les oreillers de leurs taies.

— Qu'est-ce que tu fais ? demanda Antoine.

— Je vais foutre tout ça à la poubelle, annonça-t-elle.

Antoine soupira. Françoise ramassa le dessus-de-lit, les taies et se dirigea vers la sortie. Les bras chargés de l'énorme couette, elle déclara à Geneviève dans le couloir :

— Je vais jeter tout ça, maman. Je ne prends pas mes clés, tu m'ouvres d'accord ?

— Pas de problème, chérie.

Elle descendit à pied et, une fois dans le local à poubelles, à côté de la cave, elle se sépara à regret, mais déterminée, du dessus-de-lit qu'elle avait choisi avec tant de soin sur le site Internet de La Redoute (deux épaisseurs de tissu, un matelassage souple et confortable, un tombé parfait, résistance remarquable, lavable à 40°).

Oui, ce couvre-lit était devenu, malgré lui, l'allié des amants maudits et n'avait plus sa place dans la maison. Idem pour les taies d'oreillers qui avaient accueilli le visage et les cheveux de Patricia. Adieu aux traîtres textiles. Une fois encore, ça n'arrangeait rien, mais ça faisait un bien fou. Françoise remonta chez elle, soulagée de ce ménage. Elle regagna sa chambre où Antoine finissait son sac sans se presser. Le grand reporter songeait que si c'était Françoise qui l'avait trompé, jamais il n'aurait songé à balancer le dessus-de-lit à la poubelle. Ça ne l'aurait même jamais effleuré. Les femmes étaient tout de même étranges. Françoise s'approcha du placard qu'elle ouvrit en grand, là encore sa truffe de chien policier huma l'air.

— Vous êtes restés combien de temps bloqués là-dedans ? inspecta-t-elle.

— Je n'en sais rien… Longtemps, soupira Antoine.

— Depuis hier soir, c'est ça ?

— Oui…

— Quelle heure, vingt-deux heures, vingt-trois heures ?

— Non plus tard, minuit, une heure… Je n'en sais rien…

— Et vous y êtes restés jusqu'à ce que ma mère vous délivre…

— Ouais…

— À quelle heure est-elle arrivée ?

— Je n'en sais rien…

— Maman, cria Françoise, à quelle heure tu es arrivée ?

— Dix-sept heures vingt, précisa Geneviève en entrant dans la chambre.

Antoine leva les yeux au ciel. La névrose des femmes avec l'heure !

— Mettons de minuit, une heure jusqu'à dix-sept heures vingt, reprit Françoise. Vous y êtes restés plus de seize heures. Qu'est-ce que t'as foutu seize heures dans un placard Antoine ? Regarde-moi !

— Rien. On a attendu.

— Vous avez… baisé là-dedans ?

Geneviève s'éclipsa.

— Écoute, merde Françoise !

— Oui ou non, c'est simple !

— Tu m'énerves, Françoise…

— Oui ou non, c'est simple, fulmina-t-elle.

— Et ben oui, lâcha-t-il. Qu'est-ce que tu vas faire ? Aller chercher un jerrican d'essence pour le faire cramer ?

— Peut-être bien.

Geneviève entra dans la chambre avec la nuisette blanc cassé récupérée sur le rebord de la baignoire.

— Elle portait ceci la petite jeune femme, annonça la belle-mère en tendant le bout de tissu dentelé.

Françoise la lui arracha des mains.

— Ce n'est pas possible ! Ma nuisette ! Que tu m'as offerte pour la fête des mères l'année dernière !

Ah ? Possible, Antoine ne s'en rappelait pas vraiment. Effectivement, ça lui disait quelque chose maintenant.

— C'est toi qui lui as demandé de la mettre ? articula Françoise.

— Mais pas du tout ! Elle l'a trouvée par hasard et elle l'a mise comme ça. Je n'ai jamais rien demandé, moi !

— Elle l'a mise devant toi ?

— Non, j'étais dans la cuisine ?

— Qu'est-ce tu faisais dans la cuisine ?

— Je faisais à dîner…

— Quoi ? T'as fait à dîner à cette pute ?

— Mais c'est le chat qui a tout bouffé…

— Pourquoi ?

— J'avais laissé le plateau-repas sur le lit…

— Pourquoi ?

— Pour chercher Patricia…

— Pourquoi la chercher ?

— Parce qu'elle s'était cachée…

— Où ça ?

— Mais dans le placard, bordel ! Elle voulait me faire une surprise et je suis tombé dedans sur elle et on est restés coincés bêtement… Merde Françoise, j'en ai ras le bol de cet interrogatoire !

— Fous le camp !

— C'est ce que je fais. Si tu ne me dérangeais pas sans cesse avec tes questions, ça irait plus vite…

Les deux bras tendus devant son mari, Françoise déchira sa nuisette en plusieurs morceaux puis elle se retourna pour lancer le haillon à sa mère :

— Poubelle, lui ordonna-t-elle.

Geneviève obéit et quitta la pièce avec les bouts de tissu. Encore un traître textile de moins.

— Où vas-tu aller ? demanda Françoise.

— Je ne sais pas, répondit Antoine en fermant la fermeture Éclair de son sac. À l'hôtel ou chez Bernard, si cela ne le dérange pas…

— Tu ne vas pas la retrouver, la petite salope ? Elle doit attendre que ça…

— Arrête Françoise…

— J'ai prévenu tout le monde à la maison d'édition, j'espère qu'ils auront la décence de la virer parce que je ne veux plus jamais la voir… Et j'irai toute seule à mes interviews !

Antoine empoigna son sac de voyage qu'il balança sur son dos et retint une grimace de douleur, son omoplate le faisait encore souffrir. Il passa devant sa femme sans un mot et prit le couloir. Devant la chambre des enfants, il posa son sac et entra.

Françoise et Geneviève l'entendirent rassurer ses enfants d'une voix apaisante, leur expliquer la situation avec des mots simples, pas au grand de dix-sept ans qui avait compris depuis longtemps, mais à la petite Éléonore. Françoise entendit l'expression : « On fait un petit break avec maman, mais pas très longtemps... » Ainsi, il pensait revenir. Le temps qu'elle se calme. Ah oui ? Françoise considéra l'idée un instant. Quand il sortit de la chambre, elle lui emboîta le pas dans le couloir.

— Si tu penses revenir Antoine, c'est à une condition...

Il ouvrit la porte et se retourna :

— Laquelle ?

— Qu'on aille voir mon amie Christelle. Tu te rappelles ? Christelle Lavigne, elle est psychologue, sexologue. On faisait de la gym ensemble, je te l'ai présentée le jour où tu es venu me chercher au gymnase, elle a dîné deux ou trois fois à la maison, une brune aux yeux marron, très pétillante. Elle travaille dans un cabinet de conseillers conjugaux dans le neuvième. Tu te souviens ?

Et oui, il s'en souvenait. Il l'avait baisée celle-là aussi. Juste après le premier dîner. Il l'avait raccompagnée chez elle. Elle lui avait proposé de monter. Au deuxième dîner, la psy avait passé la soirée à ôter sa chaussure pour caresser du pied les cuisses d'Antoine face à elle. Ça devenait un peu gênant... Au troisième dîner, il avait rompu quand Françoise était allée chercher une belle tarte aux pommes dans la cuisine. Ça devenait vraiment trop gênant. Comme la psy n'avait pas fait honneur à son dessert et qu'elle avait passé le restant de la soirée à faire la gueule, Françoise ne l'avait pas réinvitée...

En attendant, la thérapeute en chaleur ne s'était pas gênée pour envoyer au mari de sa nouvelle copine des mails hyper hot. Antoine avait pensé que les sexologues n'avaient aucune pudeur, aucun complexe. Il est vrai que le sexe est tellement naturel pour eux ! Lui avait joué au père la vertu, lui répondant qu'il n'avait pas l'habitude d'être infidèle, que c'était la première et dernière fois et qu'il valait mieux qu'elle l'oublie... Pauvre Christelle, quarante-trois ans, célibataire, deux fois divorcée, conseillant des couples pour qu'ils arrivent à obtenir ce qu'elle-même ne parvenait pas à garder. Elle l'avait laissé tranquille, certes, mais elle avait mis le temps ! Antoine imagina sa tête, ses yeux perfides, si elle le revoyait revenir dans son cabinet avec Françoise pour une autre incartade, un an plus tard ! Elle allait lui taper une crise pire que celle de sa légitime. Elle allait jouer avec lui, avec ses nerfs. Utiliser son petit pouvoir avec délectation et perversité, tout ça derrière le dos de Françoise. Il n'était pas question qu'il revoie cette folle...

— Tu m'écoutes, Antoine ? Une thérapie de couple avec Christelle, c'est la seule issue à notre...

— Jamais ! répondit-il.

Et il claqua la porte.

Bernard, le vieux dessinateur, était un homme plutôt bon et bienveillant. Deux qualités nécessaires pour être heureux dans la vie. Sa femme vivait à Honfleur dans leur petite maison et Bernard la rejoignait pour le week-end. Ses deux grandes filles ayant quitté la maison depuis un bout de temps, il avait transformé leurs chambres en chambres d'amis et immédiatement accepté d'héberger Antoine quand ce dernier lui avait expliqué la situation. Bernard avait longtemps travaillé comme dessinateur politique dans la presse de gauche. Voilà cinq ans qu'il avait abandonné la caricature pour se lancer dans la BD et ça ne marchait pas trop mal. Une fois par mois, il passait à *Charlie Hebdo* chercher ses anciens copains, ensemble ils buvaient des grands crus, refaisaient le monde et évoquaient sans cesse les mêmes anecdotes du temps du Professeur Choron, Cabu, Cavanna, Wolinski, etc. Leur grande époque où ils faisaient les quatre cents coups.

Bernard appréciait le caractère d'Antoine, ils s'entendaient bien dans le travail, faire une bande dessinée adaptée de sa vie était, pour lui, un travail vraiment intéressant. L'avoir à domicile allait faciliter son dessin et son inspiration. Dès le premier jour, il avait compris qu'il ne fallait pas se laisser aller à la caricature avec lui ! Antoine s'était penché sur son portrait en disant : « Mais qu'est-ce que c'est que ce nez ? Je n'ai pas un nez comme ça ? Et là c'est quoi ? Tu m'as fait un double menton ? » Non, pas de caricature, le grand reporter exigeait sa vraie tête. Depuis ce jour-là, il l'appelait le play-boy. Bernard se dirigea vers la chambre d'amis pour changer les draps de son nouvel hôte, mit une part supplémentaire de paella dans la poêle à frire et déboucha une bouteille de château-margaux pour l'aérer. Le pauvre garçon s'était fait jeter de chez lui, il fallait lui remonter le moral. Il faut dire ce qui est, sa femme n'avait pas l'air commode...

Au feu rouge, au volant de sa CX parisienne qu'il ne prenait pas souvent, Antoine songea que tout ça devait arriver un jour ou l'autre. Il y a un mois, Éléonore, sa petite fille, lui avait dit qu'ils n'étaient que trois dans sa classe dont les parents n'étaient pas divorcés... Ils ne seraient bientôt plus que deux... Éléonore, c'est elle qui allait le plus lui manquer. Il était fou de sa petite fille. Enfin, rien n'était perdu, Françoise avait tellement passé d'éponges dans leur vie... C'est vrai que là, elle semblait plus énervée que d'habitude. Et l'autre, Patricia ? Comment faisait-elle pour vivre ? Sa vie était une déferlante de tuiles et elle en faisait sévèrement profiter son entourage. Partout où elle passait, l'herbe ne repoussait pas. Elle semblait s'en accommoder, tellement insouciante, légère. Les choses ont l'air de couler sur elle, sa peau est un imperméable à la vie. Elle dit qu'elle a des angoisses, mais elle ne doit pas les garder longtemps, son cerveau doit lui-même fabriquer des antidépresseurs naturels. C'est le seul moyen qu'il a trouvé pour subsister et passer à autre chose… « Que d'emmerdes depuis que je l'ai rencontrée ! »

Le feu passa au vert et Antoine la première…

Une demi-heure plus tard, il se garait rue Saint-Benoît, près de chez son dessinateur. Il prit son sac de voyage, ferma la porte de sa voiture à distance et fit quelques pas sur le trottoir. Le voilà qui baroudait à Paris. Tout ça aurait pu être évité. Il chercha des yeux l'immeuble de Bernard et sortit son portable de sa poche. Il allait appeler Patricia. Pour lui donner des nouvelles de la situation et pour qu'elle culpabilise un peu tout de même…

Elle était chez elle en caleçon, avachie sur son canapé, les jambes allongées sur sa table basse, elle regardait les Simpsons sur W9 et consultait le prospectus de Pizza Hut, se demandant si elle prenait comme d'habitude ou si elle en tentait une autre qu'elle ne connaissait pas…

Lesquelles sont sans champignons ? Voilà la question qui la taraudait depuis un quart d'heure quand son portable sonna sur sa table basse. Elle se redressa et l'empoigna de la main gauche.

ANTOINE

Son nom s'inscrivait en toutes lettres pour la première fois. Depuis qu'il lui avait filé son numéro dans la salle de bains, Patricia avait eu le temps d'ajouter un petit cœur rose à côté de son nom. Ça y est, il appelait déjà. Son cœur à elle bondit dans sa poitrine.

— Allô ? cliqua-t-elle en plein émoi.

— Pat ? C'est moi, Antoine…

— Mon amour !

— Arrête !

— Non.

— Ça suffit…

— Ça commence !

— Ce qui commence, c'est une autre vie. Elle m'a jeté...

— Génial.

— Non ce n'est pas génial, espèce de folle inconsistante. Je vais chez Bernard pour quelques jours. Je ne sais pas combien de temps, à vrai dire... Patricia, je n'avais pas prévu de me faire virer de chez moi aujourd'hui. Les choses s'amélioraient peu à peu avec Françoise, tu as tout foutu en l'air comme d'hab. Tu te rends compte que tout est de ta faute ? Tu as mis ma vie en...

— Tu peux venir chez moi, si tu veux ?

— Tu écoutes ! Je te dis que ma famille, mon mariage est en l'air, que tu en es responsable à cent pour cent avec tes conneries...

— Ce n'est pas moi qui ai explosé ta life, c'est la life qui s'explose toute seule en général. C'est comme ça, c'est tout. That's poker !

— Dis-moi une chose à propos de ta life à toi : tes ex, ils sont encore vivants ?

— Ben oui, pourquoi ?

— Pas d'accident, d'incendie, d'explosion de gaz, de tremblement de terre ?

— Tremblement de terre si. Mon ex-Julien est parti en vacances en Turquie, l'année où il y en a eu un gigantesque... Je devais partir avec lui mais j'avais plus d'argent et j'ai préféré aller chez mes parents... Coup de chance, non ? Le pauvre est rentré traumatisé, en plus il s'était fait cambrioler entre-temps... Pourquoi tu me demandes ça ?

— Pour rien...

— Je suis désolée pour toi, tout ce qui t'arrive tu sais... Mais je t'aime, je serai toujours là si tu as besoin, moi...

— Mais qu'est-ce que j'ai fait au bon Dieu ? Au fait, Françoise m'a dit qu'elle avait prévenu des gens de ta boîte...

— Ah ?

— Oui…

— Tu crois qu'elle peut me faire virer ?

— Je n'en sais rien…

— Bon, je verrai bien lundi…

— Je te laisse, j'arrive à l'immeuble de Bernard…

— On se revoit quand ?

— Hou, là, là…

— Maintenant que t'es célib' ?

— Hou, là, là…

— J'entre dans l'ascenseur, ça va couper…

— Je t'aime !

— Oh, pitié !

Clic.

Patricia resta immobile et silencieuse un bout de temps puis, décidée, elle passa un autre coup de téléphone. Barbara décrocha au bout de deux sonneries.

— Salut Barbouille, dit-elle d'un ton morne.

— Tu as une petite voix. Toi, tu as dû sortir hier soir !

— Je t'avais dit que dès que j'avais une soirée, il fallait que tu me fracasses une bouteille sur le crâne pour m'empêcher de bouger. Tu n'es jamais là quand il faut ! Je te raconterai plus tard la soirée, tu ne vas pas en revenir, mais ce n'est pas pour ça que je t'appelle. Dis-moi une chose : Quand tu dis « je t'aime » à un mec et qu'il te répond « pitié », tu trouves que c'est bon signe ?

— Bof, moyen. Pourquoi ?

— Mon bel Antoine…

— Encore lui !

— Je n'ai pas arrêté de lui dire que je l'aimais. À aucun moment, il a répondu « moi aussi ». Aucun moment. Il répond « pitié ». Oh, la honte, une fois de plus ! Il faut peut-être faire une réunion spéciale avec les gays friends pour commenter ce « pitié » ! J'ai plein de trucs à vous raconter, pas mal de choses ont bougé dans sa vie en vingt-quatre heures.

Deux heures plus tard, Sébastien, Lucas et Barbara firent irruption chez une Patricia en pleine séance de questions existentielles. Elle était tombée amoureuse d'un homme dont elle avait bousillé la vie, selon ses propres dires, et elle allait probablement perdre son boulot, franchement l'amour lui allait comme du Saint Laurent...

Devant une pizza, une Reine sans champignons, Patricia raconta l'épisode du placard à ses trois amis qui l'écoutèrent bouche bée. Lucas la supplia d'arrêter, il devenait claustro au fur et à mesure. Ça devait lui rappeler son enfance quand ses deux méchantes sœurs l'avaient enfermé dans la cave, pauvre petit Cendrillon...

Chez Bernard

Antoine avait pris un bon bain et s'était bien installé. Affalé sur le canapé, une jambe allongée, l'autre repliée, de son poignet posé sur son genou, il tournait négligemment son verre de margaux, narrant lui aussi les derniers événements de sa vie et précisant au dessinateur de ne point les évoquer dans leur bande dessinée. Antoine n'avait pas de meilleur ami à proprement parler, trop souvent absent, il ne se confiait jamais. Il n'avait jamais parlé à qui que ce soit de ses aventures mais, pour une fois, la présence rassurante de Bernard l'incitait à la confiance. Il se livrait, laissait aller ses souvenirs, impressions sur la vie, la mort, les femmes, le mariage, le journalisme, les vingt-cinq pour cent d'abattement pour les impôts, la coiffure, ses cheveux qui s'argentaient doucement, les vacances, il ne savait pas s'il allait en prendre cette année et finit par Patricia, son petit boulet, son grain de sable, son cheveu dans la soupe...

Assis dans un fauteuil face à lui, Bernard lui proposa encore un peu de paella...

Chez Patricia

— Chaque fois que tu as couché avec lui, tu t'es fait gauler par sa femme, en gros ! lança Barbara.

— En gros, demi-gros et détails... oui, deux malheureuses nuits. Heureusement, la mémé nous a délivrés juste avant qu'on se pisse dessus et que ça devienne vraiment glauque...

— Ce que j'aime chez toi, c'est que tu vois toujours le bon côté des choses, dit Lucas. Quand je repense à Metz, qu'est-ce qu'on a ri...

— Pas moi, coupa Patricia.

— Et qu'est-ce qu'il va faire maintenant ? demanda Sébastien.

Chez Bernard

— Aucune idée, répondit Antoine.

— Tu crois que Françoise va demander le divorce ? s'enquit le dessinateur.

— Probable...

— Mais toi, tu ressens quoi, au juste ? Tu souffres ?

— On avait trouvé un bon rythme de croisière avec Françoise, tranquille... La vie passait comme un voilier traçant par temps calme et puis la tempête s'est levée d'un coup, il fallait s'y attendre. Je partais souvent, elle était inquiète puis folle de joie quand je revenais... Depuis quelque temps c'était le contraire, elle semblait contrariée que je reste à Paris et ravie que je me tire...

— Mais tu l'aimes ta femme ou c'est le fait de briser ta petite routine parisienne qui t'effraye le plus ?

— Je ne sais pas. Un peu des deux. Et il y a ma petite fille surtout... Bon, Thomas, il redouble sa première S, il a le lycée, ses copains, il mène sa vie, mais la petite... Moi, je vais avoir cinquante ans bientôt, ce n'est pas un âge pour tout recommencer...

— Mais si. Beaucoup de gens le font...

— J'ai peur du vide. Pourtant je suis habitué à être seul dans des chambres d'hôtel au bout du monde mais à Paris... Seul à Paris, ça ne m'est jamais arrivé.

— Et la môme, celle qui t'a mis dans le pétrin...

— Patricia?

— C'est celle que j'ai vue chez toi? Qui a rappliqué comme une tornade pour partir deux secondes après...

— Exactement – et tu ne sais pas à quel point le mot « tornade » lui va bien...

— Tu comptes continuer avec elle?

— Oh, pitié!

Chez Patricia

— C'est ce mot-là que je ne comprends pas, déclara Patricia à ses amis. Je ne vois pas ce qu'il vient faire là. Où que j'ai foutu mon Larousse? Il me faut la définition exacte, dit-elle en se levant...

— Il est sous ton armoire, répondit Barbara, tu l'as sorti la dernière fois qu'on a joué au Scrabble...

Patricia s'éclipsa quelques secondes dans sa chambre et en revint avec l'énorme dico. Elle se laissa tomber dans son canapé et commença à le feuilleter:

— Piteux, pithiatisme, pithiviers, pitié, je l'ai. « n.f. Sentiment qui rend sensible aux souffrances et aux malheurs d'autrui. Compassion. Faire pitié, avoir pitié. Par pitié : de grâce! » Ouais, alors vraiment bizarre. Je t'aime/pitié, ça ne va pas ensemble, c'est tordu comme dialogue. Qu'est-ce que vous en pensez?

Tous trois la dévisagèrent sans répondre.

— Pendant que j'y suis, je vais regarder à calamité. C'est comme ça qu'il m'a appelée dans son placard, dit-elle en feuilletant vers les C, alors calamar, non... je l'ai : calamité...

Chez Bernard

— C'est un désastre en jupe, un drame, une épreuve, une fatalité, une malchance, un fléau. Elle a un vrai don pour se foutre dans la merde, expliqua Antoine. Ce n'est pas sa faute, je ne sais même pas si elle s'en rend compte...

— Il y a des gens comme ça, répliqua le dessinateur, philosophe à ses heures.

— Tu n'imagines pas. Si j'étais là, en train de me promener avec elle au jardin des Tuileries, dans la plus belle capitale du monde d'un pays en paix, bras dessus bras dessous par un beau soleil, eh bien, j'aurais plus la trouille qu'à Grozny. Je me dirais, c'est trop calme, trop normal, il va me tomber un truc énorme sur le coin de la gueule. Une météorite peut-être ? Un missile iranien parti dans l'autre sens ? Tu pourrais vivre avec quelqu'un comme ça, toi ?

— Effectivement, ça doit être dur.

— De toute façon, je peux difficilement tomber plus bas, maintenant... Quelle calamité, cette meuf !

Chez Patricia

— « n.f. Malheur public. Catastrophe. Désastre. » Ouais, je suis assez déçue par cette définition, je m'attendais à un truc plus cow-boy comme « Calamity Jane », un truc plus rock'n'roll... bof...

— C'est comme ça que t'appelle mon père aussi, avoua Sébastien.

— D'accord, dit Patricia en fermant le Larousse, je suis une calamité donc ! Personne n'a envie de se mettre en ménage avec une calamité. Qu'il est laid ce mot !

— Calamité ?

— Non, ménage...

— C'est le week-end que ça se déclenche chez toi, dit Barbara. Enfin... plus que d'habitude, non ?

Le bureau, ça te canalise un peu, mais dès que tu en sors, aïe aïe aïe…

Sébastien et Lucas approuvèrent d'un hochement de tête.

— Oui, mon père a dit que son samedi d'anniversaire avait été cataclysmique. Tu peux chercher dans le dico…

Chez Bernard

— Catastrophique, épouvantable, je devrais la haïr pour les deux soirées qu'elle m'a fait passer. Enfin la première, c'est le lendemain que j'ai pris la douche glacée et j'aurais dû me méfier… Si j'en passe une troisième… Avec elle, c'est au moment où tu baisses la garde que le dieu de la poisse te balance ses confettis en ricanant.

— Mmh, mmh…, commenta Bernard, qui aimait bien écouter et jouer au psy.

— Mais je ne la déteste pas, tu vois. C'est ça le pire. Elle est tellement attachante, drôle. Elle n'arrête pas de dire qu'elle m'aime, c'est dur pour moi de l'envoyer sur les roses chaque fois… Moi aussi, je l'aime… beaucoup…

— Les gens qui ont la guigne, on dit qu'ils l'ont à vie, non ?

— Je ne sais pas. Quand tu réfléchis sérieusement à ce que tu fais, il ne peut rien t'arriver. Si tu analyses chacun de tes gestes en pensant aux conséquences, tu te mets à l'abri des mauvaises surprises.

— Oui, soit elle réfléchit à chacun de ses gestes, soit il faudrait peut-être songer à la… « désenvoûter » ?

Chez Patricia

— Un quoi ? hurla-t-elle.

— Un marabout pour qu'il t'enlève le mauvais œil, la malchance ! expliqua Lucas.

— Vous êtes dingues ? Et pourquoi pas un exorciste ?

— Mais si ! s'écria Barbara. Et tu en profiteras pour lui demander un philtre d'amour que tu verseras dans le verre d'Antoine, comme ça tes problèmes seront réglés…

— Bien sûr, tu me vois chez un grand Noir dans le vingtième arrondissement, dans une chambre lugubre éclairée à la bougie, des étagères pleines de potions à base de bave de crapaud, en train de lui demander de m'ôter le « Plan foireux » écrit sur mon front depuis mon enfance et de me préparer un philtre pour mon amoureux qui crie pitié dès qu'il me voit ? Et bien sûr, comme c'est moi, il va se planter dans sa préparation et Antoine va finir à l'hôpital. Là un médecin va me demander : « Il n'a pas avalé un truc bizarre ces derniers temps ? », et puis je vais finir en taule pour tentative d'empoisonnement et ce sera le pompon… Allez bande de couillons, finissez la pizza et le rosé et rentrez chez vous, j'ai passé une nuit entière dans un placard, j'ai à peine dormi et j'ai mal partout, alors merci d'être venus et merci de vous barrer, la calamité a besoin d'une vraie nuit dans un vrai lit !

Épilogue

Un poil fatigué, l'ami Bernard! Il en a eu marre d'être la nounou, le confident, le cuisinier, le maître d'hôtel du bel Antoine mais, pour rien au monde, il ne l'aurait avoué. Il était dévoué dans l'âme. Un peu perdu aussi. Un jour sur deux, son hôte déclarait qu'il allait rentrer chez lui pour le lendemain lui annoncer que, finalement, il allait chercher un pied-à-terre pour sa nouvelle vie de quinqua-sexy célib. Antoine ne savait plus où il en était. Françoise ne passait pas l'éponge. Le dernier épisode de ses frasques lui restait bloqué dans la gorge et une autre affaire était venue alimenter la série. Françoise avait été voir Christelle, la psy, pour lui raconter qu'elle avait mis son mari dehors. Pour encourager et appuyer cette décision, Christelle lui avait avoué qu'elle aussi avait eu une aventure avec Antoine et que cet homme était véritablement instable et coureur. Françoise était restée paralysée, blême et muette d'horreur en entendant cette confidence inattendue. On n'a pas assez d'une vie pour connaître les gens. Devant sa mine blafarde, la psychologue-sexologue avait sorti une ordonnance pour lui prescrire vitamines et anti-dépresseurs. Elle avait raccompagné Françoise, qui marchait comme un zombie, jusqu'à la sortie et lui avait lancé «Courage!» avant de fermer la porte, que l'autre, visiblement ailleurs, avait prise dans le nez.

Patricia ne s'est pas fait renvoyer des Éditions du Volcan mais elle a changé de bureau pour ne pas croiser l'historienne, le temps que celle-ci achève la promotion de son livre. Jean-Louis a déclaré qu'il n'avait aucune envie de finir aux Prud'hommes parce que Patricia s'était tapé le mari de la pète-sec. Ce n'était pas une cause de renvoi et Coralie a repris seule le travail sur la bio de Talleyrand.

Patricia a déménagé à l'étage des traductions étrangères et partage son bureau avec Anne-Laure, une femme d'une quarantaine d'années très gentille qui a exigé qu'on rapproche l'extincteur à incendie près d'elle et refusé que son mari vienne la chercher au pot de départ à la retraite de Monique, l'assistante du patron. Elle est très douce, Anne-Laure, mais elle a de drôles de rituels. Chaque matin, elle sort de son sac une statuette de la Vierge Marie achetée à Lourdes qu'elle époussette et embrasse avant de la poser sur son bureau. Elle touche le fer à cheval suspendu au mur et vérifie son trèfle à quatre feuilles dans son portefeuille. Patricia s'est souvent demandé si elle avait entendu parler d'elle, mais préfère ne pas le savoir. De toute façon, elle pense récupérer son poste à la rentrée, le temps que Mme de Lysières aille travailler sur une nouvelle biographie. L'on murmure qu'elle aurait entamé des recherches sur Charlotte Corday, la révolutionnaire qui a tué Marat dans sa baignoire, ça devrait l'occuper un bout de temps.

Incorrigible et toujours amoureuse, Patricia n'a pas renoncé au bel Antoine. Elle a menacé d'entamer une grève de la faim s'il refusait de déjeuner avec elle. Il lui a donné rendez-vous à La Cascade, un restaurant dans le bois de Boulogne où il est arrivé nonchalamment en touchant du bout des doigts tous les troncs d'arbres sur son chemin. Le déjeuner s'est fort bien déroulé, selon Patricia. Il ne s'est rien passé d'extraordinaire en dehors du fait que le grand reporter s'est renversé sur les cuisses le double whisky qu'il a commandé quand Patricia lui a rappelé qu'ils avaient fait l'amour sans préservatif dans le placard et qu'elle ne prenait pas la pilule. Patricia s'est proposée de l'aider à chercher un appartement par l'intermédiaire de Barbara qui travaille dans une agence immobilière mais Antoine a refusé poliment. Il ne sait pas encore ce qu'il va faire. Une nouvelle chaîne d'information sur le câble lui a demandé d'être correspondant permanent à Londres. S'imaginant chaque vendredi soir dans l'Eurostar pour retrouver son amoureux, Patricia a trouvé la proposition formidable pour lui et pour sa carrière. C'est tout de même mieux que correspondant permanent à Gaza.

Antoine a eu l'air de se poser la question…

Patricia et Lucas sont invités quelques jours en août par la famille de Sébastien à Arcachon. Maurice a fait vérifier tous ses contrats d'assurances par son avocat, maison et voilier. Trois marins expérimentés sont engagés pour la saison, plus un quatrième, les jours où Patricia sera sur le bateau. Maurice ne veut prendre aucun risque. Patricia a hâte de changer d'air et de partir avec ses gays friends. Sa famille ne s'est pas battue pour qu'elle vienne au plus vite les rejoindre en Bretagne, comme à l'accoutumée. Ses parents, sa sœur et son mari louent chaque année une grande maison dans le sud du Finistère. Quand Patricia est arrivée l'été dernier, le 2 août exactement, la fosse septique a explosé dans le jardin, les contraignant à rester enfermés dans la maison la main sur le nez pendant quatre jours. Elle n'y était pour rien, bien sûr, mais sa mère fataliste avait lâché, devant le mari de sa sœur : « Ma petite fille déboule et tout se débine, c'est comme ça depuis toujours… »

Flora a réussi ses partiels et a largué son militant frontiste. Hospitalisée pour une opération de l'appendicite, elle a rencontré à la cafétéria de l'hôpital un type formidable. Un aventurier qui fait des reportages fabuleux pour le *National Geographic*. Il avait subi une demi-douzaine d'opérations pour sa cheville déchiquetée par un crocodile qu'il avait malencontreusement enjambé dans un marécage de Floride et venait de rentrer à Paris pour qu'on lui enlève les vis. Flora est folle amoureuse et rêve de se lancer dans la photographie pour l'accompagner. Il lui a proposé un stage sur son prochain reportage : «À la poursuite du grand requin blanc» en Australie…

Début juillet, Patricia fut très étonnée d'apprendre que Coralie allait passer quelques jours dans la maison d'Éric Hermann. Après avoir ricané en déclarant qu'il ne risquait pas de lui faire mal, elle a décidé, avec l'accord de Jean-Louis, de ne plus travailler avec cette traîtresse de Coralie et de rester aux traductions étrangères avec Anne-Laure qu'elle aime bien. Cette dernière a bien pris la nouvelle et embrassé Patricia pour la féliciter. Le lendemain, en entrant dans son bureau, Patricia lui a tout de même posé quelques questions en la découvrant, clous dans la bouche et marteau à la main, en train d'accrocher au mur un crucifix de soixante-quinze centimètres au-dessus de sa tête.

Antoine a finalement accepté le boulot à Londres mais rentrera le plus souvent possible pour voir ses enfants. Françoise et lui se sont accordé un an de réflexion pour savoir s'ils restaient séparés ou s'il réintégrerait le domicile conjugal. Selon Patricia, les relations qu'il entretenait avec elle étaient loin d'être mauvaises. Le grand reporter était passé de «Oh, pitié!» à «Oh, putain!» en apprenant qu'elle avait pris un abonnement à la SNCF pour l'Eurostar. C'était nettement mieux. De toute façon, elle en était persuadée, la machine allait s'inverser et, à partir de maintenant, elle aurait de la chance tout le temps.

Le 31 juillet, c'est dans la vieille Jeep conduite par Seb, qui les menait d'Arcachon à une plage du Cap-Ferret où Patricia et ses gays friends avaient décidé de faire du surf, qu'elle leur annonça solennellement que les bêtises, les gaffes et les catas faisaient désormais parties du passé. Dès septembre, ce serait l'année du bol, de la baraka. Elle avait un nouveau boulot super-sympa aux traductions, un petit ami ultra-sexy, bientôt divorcé, qu'elle allait rejoindre à Londres très régulièrement et, franchement, la vie allait lui sourire, elle en était sûre. Seb et Lucas approuvèrent en riant et encouragèrent de tous leurs vœux ce sursaut d'optimisme et de joie de vivre...

C'était juste avant que les freins de la vieille Jeep lâchent...

9071

Composition
CHESTEROC LTD

Achevé d'imprimer en France (La Flèche)
par CPI BRODARD ET TAUPIN
le 4 janvier 2010 - 55914.

Dépôt légal janvier 2010. EAN 9782290015780
1er dépôt légal dans la collection : septembre 2001

ÉDITIONS J'AI LU
87, quai Panhard-et-Levassor, 75013 Paris

Diffusion France et étranger : Flammarion